Sammlung L

S0-FJL-874

Ian W.

KREUZFLUG

☆

Politische Science-fiction-Geschichten

☆

Herausgegeben und mit einem Nachwort
von René Oth

Aus dem Englischen übertragen
von Michael Nagula

LUCHTERHAND

633550

CIP-Kurztitelaufnahme der Deutschen Bibliothek:

Watson, Ian:
Kreuzflug : polit. Science-fiction-Geschichten /
Ian Watson. Hrsg. u. mit e. Nachw. von René Oth.
Aus d. Engl. übertr. von Michael Nagula. – Orig.-Ausg. –
Darmstadt ; Neuwied : Luchterhand, 1987. – 184 S.
(Sammlung Luchterhand ; 676)
ISBN 3-472-61676-8
NE: GT

Originalausgabe
Sammlung Luchterhand, März 1987

© Ian Watson 1981, 1983, 1984, 1985
© 1987 by Hermann Luchterhand Verlag GmbH & Co KG,
Darmstadt und Neuwied
Lektorat: Wieland Eschenhagen
Umschlaggestaltung: Kalle Giese, Darmstadt,
unter Verwendung einer Graphik
von Olga Rinne, Berlin
Herstellung: Petra Görg

Alle Rechte vorbehalten
Gesamtherstellung bei der
Druck- und Verlags-Gesellschaft mbH, Darmstadt
ISBN 3-472-61676-8

INHALT

Es war Maifeiertag, und das Gleitsegelfest wurde dieses Jahr in Tuckerton abgehalten.

Am späten Morgen, nachdem die Schiedsrichter auf der Glasebene gewesen waren und die Strecke mit roten Fahnen abgesteckt hatten, begannen Kumuluswolken einen ehemals blauen Himmel zu füllen und ideale Bedingungen für den nachmittäglichen Sport zu versprechen. Kein Regen, so daß das Glas nicht einen Inch tief unter Wasser stehen würde wie letztes Jahr in Atherton. Kein verwirrender Glanz, der die Zuschauer blendete, wie vorletztes Jahr in Buckby. Und eine Brise, die sachte wehte, jedoch nicht zu einem herben Wind auffrischte: perfekt, um die Segel der Wettkampfteilnehmer vor sich herzutreiben, ohne daß es die Leute gleich von den Füßen hob und sie stolperten, wie es vor vier Jahren in Edgewood der Fall gewesen war, als sich mehrere Knöchelbrüche und zahllose Prellungen ereigneten.

Nach dem Wettkampf würde es geröstetes Schwein geben; oder vielmehr die saftigen Stücke davon, denn das Schwein hatte sich in diesen letzten sechsunddreißig Stunden langsam auf seinem Spieß gedreht. Und man würde Fässer mit Old Codger Ale anstechen. Doch im Augenblick wurden Jasons Gedanken hauptsächlich vom Überprüfen seines Glasgleiters und seines hübschen krokusgelben Handsegels in Anspruch genommen.

So groß wie ein hochgewachsener Mann und aus bester alter Seide, die nur an wenigen Stellen geflickt war, wurde die Fockspiere aus biegsamer Esche von einem kräftigen Hanfseil zu einem weiten Bogen gespannt. Jason zupfte aufmerksam wie ein Harfner daran, prüfte die Spannung. Etliche Gleitsegler waren schon auf dem Glas und erhielten für ihr Tempo Beifall. Größtenteils handelte es sich um Leute aus Tuckerton – sie benahmen sich, als gehörte ihnen das Glas hier und als würden sie es besser kennen als jeder andere Besucher.

Jasons jüngerer Bruder Daniel pfiff anerkennend, als ein Tuckertonmann mit purpurner Bespannung bei hoher Geschwindigkeit perfekte Kreise zog; sein Segel zitterte, während er durch den Wind lavierte.

»Sieh dir mal den an, Jay!«

»Wen, Bob Merchant? Der hat doch letztes Jahr die Hucke voll bekommen. Welchen Sinn soll es haben, sich abzurackern, bevor der Pfiff ertönt?«

Inzwischen hatte sich ein Schwesternpaar aus Buckby mit zueinander passenden schwarzen Segeln aufs Glas hinausbegeben und umkreiste sich in Achterfiguren, riskierte um Haaresbreite den Zusammenstoß.

»Nun mach schon, Jay«, drängte der junge Daniel. »Zeig's ihnen.«

Auch Wettkämpfer aus den anderen Dörfern begannen jetzt aufs Glas hinauszuströmen, aber Jason fiel auf, daß Max Tarnover ganz in der Nähe stand und diese Mätzchen nur mit einem klugen Lächeln bedachte. Master Tarnover aus Tuckerton, der trotz des Sprühregens letztes Jahr in Atherton den Sieg davongetragen hatte . . . Jason zog eine Lehre daraus und versuchte es noch besser zu machen, indem er das Geschehen auf dem Glas ignorierte und statt dessen die umherstehende Menschenmenge musterte.

Er bemerkte, daß sich drüben, wo die Blaskapelle spielte, Onkel John Babbidge angelegentlich mit einem Edgewoodmann unterhielt; was wohl kaum der ruhigste Ort für ein Gespräch war, so daß es sicherlich um geschäftliche Dinge ging. Mittlerweile schwirrten auf dem Grün hinter der Kapelle die Kinder aus fünf Dörfern wie Fliegen vom Ringwerfen zum Kegeln zu Kleiekübeln und zu Äpfeln in Eimern voller Wasser. Und jene Erwachsenen, die nicht an der Kapelle oder den Übungsläufen oder etwas anderem, wie etwa Klatsch, interessiert waren, belagerten die Gefährte und Fertigungsstätten. Annähernd tausend Menschen mußten sich auf dem Festplatz aufhalten, und das Dorf dahinter wirkte verlassen. Am Rande des Glases waren für die alten Leute aus Tuckerton Teppiche ausgebreitet und Bänke aufgestellt worden.

Als die Kapelle nach Beendigung des *Blumentanzes* für eine Atempause ihre Instrumente senkte, durchschnitt ein panikerfülltes Blöken das laute Durcheinander. Ein Farmer war gerade in eine winzige Schafhürde gesprungen, wo ein Lamm, beinahe so groß wie seine geschorene protestierende Mutter, sich unter sie duckte, um zu saugen und sich zu verstecken. Lachend zerrte der Farmer es hervor und packte es an Genick und Hinterläufen, um sein Gewicht zu schätzen und vielleicht einen Preis zu gewinnen.

Und nun drängelte sich Jasons Mutter durch die Menge, die Reste einer Pastete kauend.

»Viel Glück, Sohn!« Sie grinste.

»Ich hab's dir doch gesagt, Ma«, protestierte Jason. »Es bringt Unglück, jemandem Glück zu wünschen.«

»Ach, papperlapapp! Was ist denn schon Glück?« Sie stülpte ihren Adamsapfel vor, als wollte sie das letzte Stück Fleisch und Kartoffeln hinunterwürgen, gab dadurch aber nur zu erkennen, daß ihre Kehle weder Charme noch ein Amulett besaß.

»Ich werde jetzt wohl besser anfangen.« Jason kickte seine Sandalen fort und setzte sich hin, um seine Gleitschuhe zu verschnüren. Mit ein wenig Hilfe von Daniel erhob er sich und stand X-beinig da; die Kufen schnitten tief in den Boden, während der Junge das Segel über seine Schultern hochzog. Jason ergriff die Lederriemen an der Bogensehne und der Rückgratspiere.

»In Ordnung.« Er bewegte lässig das Segel hin und her.

»Dann wollen wir mal. Es wird mich schon nicht gleich wegpusten.«

Aber gerade als er das Glas betreten wollte, tauchte draußen auf der Ebene keine hundert Yards entfernt ein langsamer Vogel auf.

Er materialisierte unmittelbar vor einer der Buckby-Schwestern. Unfähig abzudrehen, blieb ihr nichts anderes übrig, als sich nach hinten zu werfen. Mit einem Aufschrei der Überraschung, und vielleicht weil sie sich beim Sturz verletzt hatte, rutschte sie unter den langsamen Vogel und schlitterte rücklings auf ihrem jetzt zerrissenen und zerknitterten Segel dahin . . .

Man nannte sie langsame Vögel, weil sie durch die Luft flogen – mit der unfaßbaren Geschwindigkeit von drei Fuß pro Minute.

Sie sahen auch ein bißchen wie Vögel aus, obwohl nur ein bißchen. Ihre röhrenförmigen Metalleiber waren am Kopf abgeplattet und verjüngten sich zu einer mit Flossen versehenen Stelle am Schwanz, die auf halber Höhe zwei Stummelflügel aufwies. Diese Flügel konnten aber kaum etwas damit zu tun haben, daß sich der Rumpf schwebend in der Luft hielt; der Umfang des Vogels entsprach ungefähr dem eines Pferdes und seine Länge der doppelten Größe eines ausgestreckt liegenden Mannes. Vielleicht besorgten diese Flügel die Orientierung und Trimmung.

Farblich waren sie von einem silbrigen Grau; dies war aber nur die Farbe der Außenhaut, die aus einem eisenähnlichen Weichmetall bestand. Ein Viertel Inch unter dieser Ummantelung waren die Innenhäute schwarz und starr wie Stahl. Die Nasen der Vögel wiesen alle wenigstens ein paar Kratzspuren auf, die von der Begegnung mit Hindernissen im Laufe der Jahre herrührten; langsame Vögel behielten stets die gleiche Höhe über dem Boden bei – die etwa der Schulterhöhe eines stehenden Mannes entsprach – und pflegten sich schräg zu legen, um stabilen Gebäuden und ausgewachsenen Bäumen auszuweichen, aber zerbrechlichere Hindernisse durchstießen sie. Daher rührte das individuelle Kratzmuster. Eine viel einfachere Methode, sie zu unterscheiden, stellten jedoch die eingravierten Graffiti an den Flanken dar: von Herzen umschlungene Initialen, Daten, Ortsnamen, Fragmente von Botschaften. Dieser Schmuck bestätigte, wie erstaunlich wenige langsame Vögel es eigentlich gab – etwas, wovon man die Leute auf andere Weise nicht hätte überzeugen können. Denn niemand konnte einem einzelnen langsamen Vogel auf der Spur bleiben. Sobald einer aufgetaucht war – über einem Berg, in einem Tal, inmitten von Weideland oder auf einer Dorfstraße –, flog er für die Dauer einer beliebigen Zeitspanne zwischen einer Stunde und einem Tag gemächlich dahin, brachte jede beliebige Entfernung zwischen einigen Yards und einer vollen Meile hinter sich. Und verschwand dann wieder. Um unvorhergesehen anderswo aufzutauchen: weit entfernt oder ganz in der Nähe, erst nach einer langen Zeit oder schon sehr bald.

Normalerweise verschwand ein Vogel, um erneut aufzutauchen.

Aber nicht immer. Ein halbes dutzendmal im Jahr, in den Grenzen dieses Eilands betrachtet, erreichte ein langsamer Vogel das Ende seiner Reise.

Er zerstörte sich und das gesamte Gebiet ringsum in einem Umkreis von zweieinhalb Meilen, zerschmolz die Landschaft augenblicklich zu einer Ebene aus Glas. Einer flachen, kreisrunden Ebene aus Glas. Einer polarisierten, begrenzten Zone der Vernichtung. Knapp jenseits des Randes mochte eine Person unversehrt entkommen, nur zeitweise taub und verstört.

Bisher war kein langsamer Vogel bekannt, der so explodiert wäre, daß er eine frühere Glasebene überlappt hätte. Folglich klammerten sich viele Städte und Dörfer dicht an die Ränder dessen, was schon zerstört worden war, und die Nachricht von einer frischen Glasfläche führte dazu, daß dort Farmen und Siedlungen aus dem Boden schossen. Aber immer noch verharrte die Mehrheit der Leute fatalistisch in ihren alten historischen Ortschaften. Sie sagten sich, daß zu ihren Lebzeiten schon kein langsamer Vogel in ihrer Mitte explodieren würde. Und wenn er es tat, was würde daraus folgen? Außer daß das Glas eine Stadt in zwei Hälfte teilte – in welchem Falle, wenn das Wimmern und Schluchzen erst einmal vorbei war, die verbliebenen Bürger sich entspannen und sicher fühlen konnten.

Natürlich würde auf lange Sicht das ganze Land von Küste zu Küste und von Norden bis Süden eine feste Glasebene sein. Oder vielleicht würde es auch bloß ein Schachbrett sein, mit Kreisen, die Kreise berührten; ein Glasmosaik. Mit was dazwischen? Flecken aus Wüstensand, wenn das Klima dank der Reflektionen des Glases austrocknete. Oder Hochwasser, Schwemmland. Aber dieser Tag lag noch in weiter Ferne: hundert Jahre vielleicht, zweihundert, dreihundert. Also machten sich die Leute deswegen nicht viele Gedanken. Zeit ihres Lebens waren sie es gewohnt, genau wie ihre Eltern vor ihnen. Vielleicht würden die langsamen Vögel eines Tages nicht mehr kommen. Sondern gehen. Und explodieren. So wie einst alles angefangen hatte. Bestimmt war die Lage, nach dem, was man hörte, nirgendwo auf der Welt anders. Nur die Meere waren frei von langsamen Vögeln. Vielleicht würde die menschliche Rasse eines Tages Flöße bauen müssen. Obwohl, womit sollten sie sie dann noch bauen? Inzwischen ging das Leben weiter; und die meisten Menschen hatten es schon vor langer Zeit aufgegeben, nach dem Grund zu fragen. Denn darauf gab es keine Antwort.

Das Mädchen ließ sich von seiner Schwester aufhelfen. Sie schien sich nichts gebrochen zu haben. Nur ihre Würde war ein wenig angeknackst; und ihr Segel.

Die anderen Gleiterfahrer hatten sich alle ausrollen lassen und starrten nun ärgerlich auf den Vogel in ihrer Mitte. Sein Bauch und seine Seiten wiesen so gut wie keine Graffitis auf; als eine Anzahl Jugendlicher das sah, hastete sie auf das Glas – Taschenmesser, rostige Nägel und dergleichen mehr in den Händen. Aber ein Schiedsrichter winkte sie zornig zurück.

»Hey! Haut ab!« Sein Blick schien auf Jason haftenzubleiben, und einen albernen Augenblick lang stellte Jason sich vor, daß er es war, den der Schiedsrichter meinte; aber statt dessen rief der Mann: »Master Tarnover!« und Max Tarnover watschelte vorbei und glitt aufs Eis hinaus, um sich zu beraten.

Schließlich formte der Schiedsrichter seine Hände zu einem Trichter. »Wir verschieben den Start um eine halbe Stunde«, verkündete er. »Was recht ist, muß recht bleiben: Die junge Dame sollte eine Chance bekommen, ihr Segel zu befestigen, wo es doch nicht ihre Schuld war.«

Jason bemerkte einen leichten Anflug von Heiterkeit auf Tarnovers Gesicht; denn jetzt würden die anderen Wettkämpfer entweder weiter umhertollen müssen und sich in nutzlosen Extravaganzen erschöpfen oder jedoch für eine kurze Weile vom Glas fernbleiben und so einiges an psychologischem Schneid verlieren. Und wirklich entschied sich fast jeder für eine kurze Unterbrechung und ein paar Erfrischungen.

»So ein Glück!« schnaubte Mrs. Babbidge, als Max Tarnover ihnen über den Weg lief.

Tarnover blieb vor Jason stehen. »Ehrlich gesagt glaube ich, daß ihre Segel hinüber sind«, vertraute er ihm an. »Aber was will man machen? Die Buckby-Sippe hätte sonst ein Mordstheater gemacht. ›Oh, sie hätte gewinnen können. Hätte man ihr nur fünf Minuten Zeit für die Reparatur gelassen.‹ Dieser verdammte Metallklumpen im Weg.« Tarnover musterte Jasons Segel mit huldvollem Blick. »Was nutzt es ihr also?«

Daniel Babbidge betrachtete Tarnover mit einer Mischung aus Heldenverehrung und feindseliger Sympathie für seinen Bruder. Jason selbst nickte bloß und meinte: »Das ist nur gerecht.« Er war sich nicht sicher, ob Tarnover großzügig handelte – oder aus gönnerhafter Arroganz. Oder bedeutete dieser vertrauliche Kommentar, daß Tarnover Jason in der diesjährigen Runde um die silberne Punschbowle als echten Rivalen ansah?

Offenbar hielt der junge Daniel Jasons Erwiderung nicht für ausreichend. »Wohin glauben *Sie* denn, daß die Vögel verschwinden, Master Tarnover, wenn sie nicht mehr da sind?« legte er los.

Eine gute Frage: ziemlich unbeantwortbar, aber Max Tarnover würde sich wahrscheinlich verpflichtet fühlen, eine Antwort zu geben, schon um seine weltoffene Klugheit ins rechte Licht zu rücken. Jason erwärmte sich für seinen Bruder, während Mrs. Babbidge, die das kapierte, den Jungen sanft anstieß.

»Wirst du wohl nicht Master Tarnovers kostbare Zeit verschwenden. Wahrscheinlich hat er darüber noch nicht nachgedacht.«

»Oh, aber das habe ich«, sagte Tarnover.

»Und?« beharrte der Junge.

»Nun . . . vielleicht verschwinden sie ja gar nicht.«

Mrs. Babbidge kicherte, und Tarnover errötete.

»Ich meine, vielleicht hören sie ja einfach auf, an einem bestimmten Platz zu sein und sind plötzlich an einem ganz anderen.«

»Wenn man nur so gut gleiten könnte!« Jason lachte. »Obwohl . . . ein bißchen langsam. Jeder würde im letzten Moment an einem vorbeiziehen.«

»Sie *müssen* irgendwohin verschwinden«, sagte der junge Dan hartnäckig. »Vielleicht irgendwohin, wo wir's nicht sehen. An eine andere Art Ort, mit anderen Leuten. Vielleicht bauen sie diese Vögel.«

»Hör mal, Rotschopf, die Vögel kommen nicht etwa aus Ußland oder Merika oder sonstwoher. Wo sollte dieser andere Ort also sein?«

»Vielleicht ist er unmittelbar hier, nur können wir ihn nicht sehen.«

»Und vielleicht können Schweine fliegen.« Tarnover sah sich nach einem Stand um, an dem man Cidre und Rauscher bekommen konnte; aber Mrs. Babbidge stellte sich ihm mit sanfter Gewalt in den Weg.

»Oh, was das anbelangt, so bin ich sicher, daß unsere Sau Betsey nicht fliegen konnte, ob nun mit oder ohne Flügel. Unglaublich – hängen einfach in der Luft und sind doch so schwer.«

»Haben Sie kürzlich einen Vogel gewogen?«

»Sie sehen schwer aus, Master Tarnover.«

Tarnover konnte sich nicht gut an Mrs. Babbidge vorbeidrängeln, nicht mit dem Segel, das ihn behinderte. Er gab sich damit zufrieden, an ihr vorbeizustarren, und murmelte: »Wenn man nichts Gescheites zu sagen hat, sollte man besser den Mund halten.«

»Aber das ist nicht besser«, protestierte Daniel. »Sie jagen die Welt in die Luft. Stück für Stück. Als führten sie einen Krieg gegen uns.«

Jason fand sich sehr originell. »Vielleicht stimmt das ja. Vielleicht führen diese anderen, von denen Dan spricht, gegen uns Krieg – und haben nur vergessen, es zu erwähnen. Und wenn sie alles mit Glas gepflastert haben, kommen sie hierher, um Urlaub zu machen. Und gleiten glücklich bis ans Ende ihrer Tage.«

»Ein verdammt langer Krieg, wenn das stimmt«, grollte Tarnover. »Schließlich geht es schon seit mehr als einem Jahrhundert so.«

»Vielleicht fliegen die Vögel deshalb so langsam«, spann Daniel den Faden weiter. »Was, wenn eines unserer Jahre für diese Leute nur eine Stunde ist? Deshalb fallen die Vögel auch nicht herunter. Sie haben einfach nicht die Zeit dazu.«

Tarnovers Gesichtsausdruck wurde regelrecht wild. »Und was, wenn die Vögel nur kommen, um uns für unsere Sünden zu bestrafen? Was, wenn sie einfach ein wunderbarer Beweis dafür sind . . .«

». . . daß der Herr sich um uns kümmert? Und uns eines Tages vergeben wird? Oh, mein Gott«, und Mrs. Babbidge strahlte, »Sie sind doch wohl nicht einer von *denen*? Ein gescheiter Kerl wie Sie. Was mich betrifft, ich stelle nicht einmal mehr Kerzen ins Fenster oder binde Knoten ins Bettlaken, um die Vögel abzuhalten.« Sie strubbelte die rote Mähne ihres jüngeren Sohnes. »Jeder stirbt früher oder später einmal, Dan. Du wirst dich schon daran gewöhnen, wenn du erwachsen bist. Wenn es Zeit ist zu sterben, ist es Zeit zu sterben.«

Tarnover blickte ziemlich konsterniert drein; obwohl auch der junge Daniel aus einem etwas anderem Grund höchst kummervoll dreinsah.

»Und wenn man durstig ist, soll man einen trinken gehen!« Indem er einen Durchschlupf und die Gelegenheit nutzte, schlängelte Tarnover sich an Mrs. Babbidge vorbei und schritt davon. Sie kicherte, als sie ihn fortgehen sah.

»Das hat ihm einen Knoten ins Segel gemacht!«

Einundvierzig andere Wettkämpfer, außer Jason und Tarnover, versammelten sich zwischen den Startfahnen. Aber nicht das Mädchen, das gestürzt war; trotz größter Anstrengungen war es aus dem Rennen ausgeschieden und schaute verdrießlich von der Seite zu.

Dann ließ der Tuckertoner Schiedsrichter seinen Pfiff ertönen, und es ging los.

Der Kurs hatte die Form eines langen frischen Brotlaibs. Erst verlief er auf einer dreiviertel Meile sanft am Rand des Glases entlang, dann beschrieb er schroff einen Halbkreis zurück zur Geraden und führte wieder auf Tuckerton zu.

Am Ende der Geraden brachte ein weiterer schroffer Halbkreis sie zur Start- und Ziellinie zurück. Alles in allem mußten drei Runden gesegelt werden, bevor der Siegerpfiff ertönte. Viel mehr davon, und der Abstand zwischen den Führenden und den Nachzüglern würde ein heilloses Durcheinander bewirken.

An der ersten Kehre führte Jason den Rest des Feldes an, und sein häufiges Üben seit dem letzten Jahr machte sich bezahlt. Sein Gleitsegler schnellte über das Glas. Die Brise trieb ihn kraftvoll vor sich her. Als er das Ende des Brotlaibs umrundete und sein Segel neu ausrichtete, bemerkte er, daß Max Tarnover auf dem vierten Platz zurücklag. Entschlossen seine Führung auszubauen, lehnte sich Jason so dicht gegen die Fahne am Eingang zur Geraden, daß er sie fast berührte. Um sein Gleichgewicht bemüht kam er recht armselig in die Gerade hinein und verlor einige Yards. Als Jason, zur Freude der Athertoner Bürger, die Ziellinie zum erstenmal überfuhr, lag Tarnover an dritter Stelle; und noch immer machte er keine großen Anstrengungen, zu überholen. Jason erkannte, daß Tarnover sich seiner einfach als Schrittmacher bediente.

Aber ein Gleitsegelrennen war nicht dasselbe wie ein Wettlauf, bei dem ein Schrittmacher in der Regel gezwungen war, allmählich zurückzufallen. Trotzdem war Tarnover beim zweiten Überqueren der Linie nur noch zehn Yards hinter ihm und bewegte sich ohne ersichtliche Mühe dahin, als wären er, sein Segel und der Wind eins. Als er Jasons flüchtigen Blick bemerkte, grinste Tarnover und legte einen Zahn zu, um den Vordermann zu noch größerer Anstrengung zu bewegen. Und als er in die letzte Runde eintrat, fiel Jason auch der Raumgewinn des langsamen Vogels links von ihm auf, der jetzt auf halber Strecke zwischen der langen Kurve und der Geraden schwebte und sich der allgemeinen Richtung von Edgewood näherte. Selbst die Nachzügler sollten die Endgerade geräumt haben, bevor das Ding ihnen in den Weg gerät, überlegte er.

Diese kurze Ablenkung war ein Fehler: Tarnover befand sich jetzt noch dichter hinter ihm, sein Segel neigte sich in einem Winkel, der seinen Handgelenken Schmerzen bereiten mußte. Schon glitt er seitlich heran, um Jason zu überholen. Und in diesem Augenblick erkannte Jason, wie er gewinnen konnte: indem er Tarnover denken ließ, er habe Jason an die Grenze seiner Leistungsfähigkeit getrieben – so daß sich Tarnover aus dieser Fehleinschätzung heraus zu schnell verausgaben würde.

»Mich kriegen Sie nicht!« rief Jason in den Wind und nahm an, daß Tarnover dies als Prahlerei mißverstehen und vermuten würde, daß

Jason nicht sehr weit vorausdachte. Gleichzeitig drosselte Jason seine eigene Geschwindigkeit etwas und hoffte, daß seinem Gegner nicht auffallen würde, wie sehr dies seiner Großspurigkeit entgegenstand. Einen entsetzten Gesichtsausdruck heuchelnd ließ er Tarnover überholen – und sah, daß Tarnover sein Segel weiterhin kraftvoll umklammerte, obwohl er in Wirklichkeit erheblich langsamer vorankam als zuvor. Ohne es zu merken, hielt Tarnover einen falschen Winkel ein; er belastete seine Handgelenke zu stark.

Tarnover lag jetzt an der Spitze. Sofort fiel jeder psychologische Druck von Jason ab. Mit Leichtigkeit und Anmut blieb er ein paar Yards hinter ihm, gerade weit genug, um aus Tarnovers Windschatten Nutzen zu ziehen. Und so hielt er es die halbe Strecke der Endgeraden über, während er sich wie ein am Himmel hängender Habicht fühlte, dem eine kleine Drehung der Schwingen genügte, um sich auf seine Beute zu stürzen.

Er hielt sich zurück, hielt sich zurück. Dann änderte er plötzlich die Neigung seines Segels und stürzte los – übernahm die Führung.

Es war ein Fehler. Es war die ganze Zeit über ein Fehler gewesen. Denn als Jason vorbeiglitt, lachte Tarnover nur. Er riß sein braun-orangenes Segel in eine einfachere, wirkungsvollere Position und begann mit seinen Beinen zu pumpen, segelte wie der Teufel. Schon lag er wieder vor ihm. Um fünf Yards. Um zehn. Und ging in die letzte Kurve hinein.

Während Jason in der kurzen ihm noch verbleibenden Zeit aufzuholen versuchte, erkannte er, wie man ihn hereingelegt hatte; aber die Erkenntnis kam zu spät. Tarnover hatte Jasons Gedanken, indem er seine Segel auf entsprechende Weise hielt – eine Weise, die bewußt den Sog des Windschattens herbeiführte – so raffiniert auf deren Stellung gelenkt, daß Jason den Beitrag seiner Beine und Kufen schlicht vernachlässigte, sie als selbstverständlich hingenommen und ihre ständige Überwachung vergessen hatte. Es dauerte nur Augenblicke, das zu erkennen und ebenfalls mit den Beinen zu pumpen. Aber diese Augenblicke waren fatal. Jason überquerte die Ziellinie einen Yard hinter dem Sieger des Vorjahres, der auch der diesjährige Sieger war.

Als er krank vor Ärger ausrollte, war Jason sich durchaus bewußt, daß es nun an ihm war, sich in seiner Niederlage großzügig zu zeigen, statt Tarnover auch noch diesen Triumph zu gönnen.

Laut genug, so daß jeder ihn hören konnte, rief er: »Großartig, Max! Herrlich gefahren! Sie haben mich wirklich drangekriegt.«

Tarnover lächelte mild über die Gunstbezeugungen der Zuschauer.

»Was für eine lärmende Familie ihr Babbidgers doch seid«, sagte er; und glitt davon, um erneut die silberne Punschbowle überreicht zu bekommen.

Viel später an diesem Nachmittag schwenkte Jason, vollgestopft mit Schweinebraten und abgefüllt mit Old Codger Ale, einen leeren Bierkrug, während er sich, umgeben von einer lärmenden Menge, mit Bob Marchant unterhielt. Bob, der im vorigen Jahr so spektakulär gestürzt war. Vielleicht war das der Grund, weshalb er heute ohne Selbstvertrauen gefahren und deshalb einer der Nachzügler gewesen war.

Der Himmmel war stark bewölkt, und das Tageslicht verblaßte. Schon bald würden sie ihren Marsch zurück nach Hause antreten müssen.

Einer von Jasons Saufkumpanen und Seglerfreunden aus Atherton, Sam Partridge, bahnte sich einen Weg durch die heitere Menge.

»Jay! Dein kleiner Bruder: Er ist draußen auf dem Glas. Er ist auf den Rücken des Vogels geklettert. Jetzt reitet er auf ihm.«

»Was?«

Jason war mit einem Schlag nüchtern und folgte Partridge, Bob Marchant hinterdrein.

Tatsächlich saß einige hundert Yards entfernt in der Finsternis Daniel rittlings auf dem langsamen Vogel. Sein rotes Haar ließ keinen Irrtum zu. Mittlerweile waren auch einige Leute darauf aufmerksam geworden und deuteten in seine Richtung. Hochrufe ertönten und ein paar zornige Protestschreie.

Jason ergriff Partridges Arm. »Jemand muß ihm hinaufgeholfen haben. Wer war es?«

»Hab nicht die leiseste Ahnung. Dieser Junge braucht eine gehörige Tracht Prügel.«

»Daniel *Babbidge*!« rief Mrs. Babbidge ganz in der Nähe. Auch sie hatte ihn gesehen. Behutsam näherte sie sich dem Glas, vorsichtig darauf bedacht, nur nicht das Gleichgewicht zu verlieren.

Jason und seine Begleiter waren rasch zur Stelle. »Ist schon in Ordnung, Ma«, beruhigte er sie. »Ich schnappe mir diesen kleinen . . . Mistkerl.«

Höflich bot Bob Marchant ihr seinen Arm an und geleitete Mrs. Babbidge wieder auf den rauhen Boden zurück. Jason und Partridge traten in Begleitung von wenigstens einem Dutzend neugieriger Zuschauer schwerfällig auf die verglaste Oberfläche hinaus.

»Hat jemand gesehen, wer ihm hinaufgeholfen hat?« erkundigte sich Jason bei ihnen. Niemand wollte es gewesen sein.

Als die Gruppe gut zwanzig Yards vom Vogel entfernt war, blieben alle außer Jason stehen. Während Jason allein weiterging, dämpfte er seine Stimme, so daß nur der Junge sie hören konnte.

»Rutsch runter«, befahl er grimmig. »Ich fang dich auf. Ein paar hübsche Affen hast du aus deiner Mutter und mir gemacht.«

»Nein«, wisperte Daniel. Er klammerte sich fest, die Hände wie Saugnäpfe ausgebreitet, die Knie gegen die Flanken des Vogels gepreßt, als wäre er ein Jockey. »Ich will sehen, wohin er verschwindet.«

»Wohin er verschwindet? Zum Teufel, ich hab keine Lust, meine Zeit mit Streitereien zu vergeuden. Komm runter!« Jason packte einen Fußknöchel und zerrte daran, aber das diente ihm nur dazu, sich näher an den Vogel heranzuziehen. Neben Dans Fuß war ein Herz mit den verschlungenen Initialen ZB und EF eingraviert. Jason drehte sich um und rief: »So hilf mir doch einer! Komm einer her und heb mich hoch!«

Niemand meldete sich freiwillig, nicht einmal Partridge.

»Er beißt euch schon nicht! Es geschieht einem nichts, wenn man ihn bloß berührt. Herrgott, jedes Kind weiß das.« Ärgerlich stapfte er auf sie zu. »Verdammt nochmal, Sam.«

Jetzt schlurfte Partridge vorwärts, und ein paar andere Männer folgten ihm. Aber dann blieben sie mit offenen Mündern stehen. Ihr Gesichtsausdruck verwirrte Jason einen Augenblick lang – bis Sam Partridge eine Handbewegung machte; und Jason herumfuhr.

Die Luft hinter ihm war leer.

Der langsame Vogel war plötzlich verschwunden. Und hatte seinen Reiter mitgenommen.

Eine halbe Stunde später hielten sich nur noch die Besucher von Atherton und ihre Gastgeber auf dem Tuckertoner Festplatz auf. Die Kontingente aus Buckby, Edgewood und Hopperton hatten sich schon auf den Heimweg gemacht. Onkel John tröstete immer noch eine schniefende Mrs. Babbidge. Die meisten Gesichter in der umgebenden Menge blickten mitleidig drein, obwohl bei den Leuten von Tuckerton auch ein leichter Groll zu verspüren war, daß ein dummer Jungenstreich diesen schwarzen Schatten über ihr Maifest geworfen hatte.

Jason starrte die Zuschauer wild an. »Hat denn keiner von euch gesehen, wer meinem Bruder hinaufgeholfen hat?« schrie er. »Er kann sich ja wohl schlecht selbst hinaufgeholfen haben, oder? Wo steckt Max Tarnover? Wo steckt er?«

»Sie beschuldigen doch nicht Master Tarnover?« grollte ein fleischiger Farmer mit einer großen Warze auf der Wange. »Saure Trauben, Master Babbidge! Das klingt ganz nach sauren Trauben, und deren Geschmack mögen wir hier gar nicht.«

»Wo steckt er, verdammt noch mal?«

Onkel John legte eine Hand auf den Arm seines Neffen. »Jason, mein Junge. Beruhige dich. Das hilft deiner Mutter auch nicht.«

Aber dann teilte sich die Menge, und Tarnover kam hindurchgeschlendert, noch immer die silberne Punschbowle haltend, die er gewonnen hatte.

»Nun, Master Babbidge?« sagte er. »Ich hörte, Sie wollen mich sprechen.«

»Haben Sie gesehen, wer meinem Bruder auf den Vogel half? Na, haben Sie?«

»Nein, habe ich nicht«, erwiderte Tarnover kühl.

Es war die falsche Frage gewesen, wie Jason sofort erkannte. Denn wenn Tarnover die Tat selbst begangen hatte, wie hätte er sich dabei zusehen können?

»Dann haben Sie . . .«

»Heda!« wandte der Farmer von vorhin ein. »Sie haben ihn gefragt, und Sie bekamen eine Antwort.«

»Und ich schätze, Ihr Bruder hat auch eine Antwort bekommen«, sagte Tarnover. »Ich hoffe, sie stellt ihn zufrieden. Natürlich entbiete ich Mrs. Babbidge mein herzliches Beileid. Wenn dem Jungen *tatsächlich* etwas passiert ist. Aber können wir dessen sicher sein?«

»Natürlich können wir das!«

Jason straffte sich, und Onkel John verstärkte den Griff um seinen Arm. »*Nein*, mein Junge. Laß doch. Es hat keinen Sinn.«

Der Heimweg war an diesem Abend traurig und still für die drei übriggebliebenen Babbidges, obwohl nichtsdestoweniger einige Leute aus Atherton heiter und beschwipst hinter ihnen sangen. Gelegentlich sah sich Jason nach Sam Partridge um, aber Sam Partridge schien ihnen erfolgreich auszuweichen.

Am nächsten Tag, dem 2. Mai, raffte Mrs. Babbidge sich auf und erklärte diesen Tag zu einem ›Aussortier‹-Tag; was bedeutete, daß Daniels Kleidungsstücke und Märchenbücher und alte Spielzeuge liebevoll auf einen Haufen geschichtet und beiseite geräumt wurden. Jason schickte sie zur Arbeit in die Sägemühle, weil er sonst angeblich nur wie ein geprügelter Hund herumhinge.

Und während Jason an diesem Tag Bretter zuschnitt, gingen ihm immer wieder die gleichen zornigen und frustrierten Gedanken durch den Kopf:

›Meiner Meinung nach ist er ein Mörder . . . Man gibt einem Baby kein Messer, um damit zu spielen. Er war danach kühl und gelassen. Gar nicht schockiert, kein bißchen. Unglaublich selbstgefällig . . .‹

Aber was konnte man tun? Der Vogel hätte noch stundenlang dort schweben können. Nur hatte er's nicht . . .

Sollte er versuchen, Daniel zu finden? Aber wie? Und wo? Vögel sprangen nun einmal umher. Erst hierhin, dann dorthin und schließlich sonstwohin. Sie gehorchten keinem System. Was für eine sinnlose Suche also!

Eine Suche, um zu beweisen, daß Dan noch am Leben war. Und wenn er noch am Leben war, hatte Tarnover ihn nicht getötet.

›Meiner Meinung nach ist er ein Mörder . . .‹ Jasons Gedanken überschlugen sich hilflos. Es war wie Glassegeln mit gebundenen Füßen.

Drei Tage später wurde vor Edgewood ein langsamer Vogel gesichtet. Jim Mitchum, der Dachdecker von Edgewood, suchte Jason umgehend draußen in der Sägemühle auf, um ihm die Nachricht zu bringen. Er hatte dort sowieso zu tun gehabt.

Zweifellos war sein Besuch eine Geste der Freundlichkeit, aber er erfüllte Jason ebenso sehr mit Schuld, wie er seine Moral hob. Denn jetzt war er gezwungen, selbst hinzugehen und sich umzuschauen, obwohl es doch offensichtlich nicht das geringste zu entdecken gab. Er legte das Werkzeug beiseite, lief nach Hause, um sich die Gleitkufen und das Segel zu schnappen, und schnellte über das Glas nach Edgewood.

Der Vogel war noch da; aber es war ein anderer Vogel. Er wies nicht die eingravierten Herzen mit den verschlungenen Initialen ZB und EF auf.

Und vier Tage später drang von Buckby die Nachricht von einem Vogel herüber, den man ein paar Meilen westlich des Dorfes auf der Hauptstraße nach Harborough gesichtet hatte. Diesmal lieh Jason sich ein Pferd und ritt hin. Aber die Nachricht war zu spät gekommen; der Vogel war einen Tag zuvor weitergeflogen. Trotzdem fühlte sich Jason verpflichtet, die Gegend, in der man ihn gesichtet hatte, nach einem heruntergefallenen Körper oder einem anderen Hinweis abzusuchen.

Und in der folgenden Woche erschien plötzlich ein Vogel nur eine Meile von Atherton entfernt; er verschwand jedoch in dem Augenblick wieder, als Jason auf der Szene auftauchte . . .

Dann ging Jason eines Nachts zum Wheatsheaf hinunter. Es war nun schon einige Wochen her, seit er zuletzt im Brauhaus gewesen war; jetzt hatte er vor, sich sinnlos zu betrinken, am langen Tresen unter dem Pferdegeschirr.

Sam Partridge, Ned Darrow und Frank Yardley schütteten bereits kräftig in sich hinein; und nach ungefähr einer Stunde bot Ned Darrow ihm seinen bierseligen Rat an.

»Schau, Jay, was hast du davon, wenn du jedesmal losziehst, sobald jemand einen verdammten Vogel gesichtet hat? Wenn du damit nicht aufhörst, wirst du noch einen verdammten Narren aus dir machen. Und was, wenn so ein Vogel in Tuckerton auftaucht? Dürfte früher oder später schließlich passieren. Wirst du dann mit hängender Zunge auch dorthin hecheln?«

»Und während der ganzen Zeit bleibt deine Arbeit liegen«, sagte Frank Yardley. »Du wirst zu guter Letzt noch deinen Job verlieren. Ich rate dir, einfach weiterzuleben wie bisher.«

»Ich hab ja nicht viel Ahnung davon«, sagte Sam Partridge unerwartet. »Aber für mich sieht das nach jemandem aus, der seine Würde wiedererlangen muß. Nehmen wir einmal an, Tarnover hat den Babbidges wirklich so übel mitgespielt . . .«

»Was gibt's da groß anzunehmen?« unterbrach Jason ihn barsch.

»Nur die Ruhe, Jay. Ich wollte gerade sagen, daß die Babbidges aus Atherton stammen. Also hat er uns allen übel mitgespielt, stimmt's?«

»Gott sei Dank lassen sich einige Leute ja genug Zeit, bis sie einem helfen.«

Sam errötete. »Nun fang bloß nicht an, rechts und links wild um dich zu schlagen. Niemand ist perfekt. Du mußt dich nur wieder daran erinnern, wer deine wahren Freunde sind, das ist alles.«

»Oh, ich erinnere mich, keine Angst.«

Frank deutete mit seinem leeren Glas in die Runde. »Richtig. Wer ist jetzt dran?«

Eins führte zum anderen, und am nächsten Morgen hatte Jason einen schweren Kopf.

Am Abend klopfte Ned an die Tür der Babbidges.

»Sam läßt ausrichten, daß ein Vogel auf dem Glas ist«, berichtete er. »Wie wär's, wenn wir eine Spritztour machten, um ihn uns anzusehen?«

»Wenn ich mich richtig erinnere, sagtest du letzte Nacht, ich vergeudete meine Zeit.«

»Ach, überall im Land herumzurennen. Das hier ist doch bloß eine Spritztour. Ein netter Abend dafür. Natürlich, wenn du keine Lust hast . . . Wir könnten danach alle ein paar Humpen im Wheatsheaf nehmen.«

Die Kumpels mußten ihn während der letzten paar Wochen wirklich vermißt haben. Rasch sammelte Jason seine Gleitkufen und sein Segel ein.

»Und was ist mit deinem Mittagessen?« fragte seine Mutter. »Es gibt Schafskopfbrühe.«

»Och, das hält sich doch, nicht? Ich kann ebensogut ein oder zwei Pasteten im Wheatsheaf essen.«

»Ist wohl besser, du haust ab und amüsierst dich ein bißchen«, sagte sie. »Mir soll's recht sein. Ich muß sowieso noch ein paar Sachen bügeln.«

Zwanzig Minuten später streiften Jason, Sam und Ned zwei Meilen weit draußen über das Glas. Der Himmel war blutrot und mit Schichtwolken verhangen, und ein Strom aus Gold verlief deutlich sichtbar über dem Horizont: schlechtes Wetter morgen, aber heute abend eine Pracht. Die gläserne Ebene funkelte rot und golden: ein Meer aus Licht, Feuer und geschmolzenem Metall. Sie sichteten den anderen Segler erst, und genauso er sie, als sie dem langsamen Vogel schon sehr nahe gekommen waren.

Sam bemerkte ihn zuerst. »Wer ist das denn?«

Das fremde Segel war braun und orange. Jason erkannte es sofort. »Es ist Tarnover!«

»Dann ist das jetzt deine Chance, es doch noch herauszubekommen«, sagte Ned.

»Meinst du wirklich?« Ned grinste. »Warum nicht? Könnte lustig werden. Schnappen wir ihn uns.«

Sie pumpten mit den Beinen, und die drei Gleitsegler entfernten sich voneinander, um Tarnover seitlich zu umfahren – der sie beobachtete und zu wenden begann. Jedoch zu scharf. Oder er war in eine Wasserlache auf dem Eis geraten. Zu Jasons Freude glitt Max Tarnover, der Champion von fünf Dörfern, aus.

Sie erwischten ihn. Nun brauchte man nicht gerade die Kraft eines Ochsen, um einen Gleitfahrer von der Flucht abzuhalten, wie sehr er auch um sich treten und kämpfen mochte. Aber Jason traf Tarnover am Kinn und schlug ihn besinnungslos.

»Warum zum Teufel hast du das getan?« fragte Sam und fing Tarnovers Sturz auf das Glas ab.

»Wie kriegen wir ihn sonst auf den Vogel rauf?«

Sam starrte Jason an und nickte dann langsam.

Es war nicht gerade einfach, von der schlüpfrigen Oberfläche einen schlaffen schweren Körper auf einen sich langsam bewegenden Gegenstand zu hieven; aber nachdem sie ihre Kufen abmontiert hatten, schafften sie es. Schließlich lag Tarnover ausgebreitet und mit herunterbaumelnden Beinen auf dem Rumpf. Rasch schnitt Jason mit seinem Taschenmesser das Hanfseil von Tarnovers Segel und band seine Hände und Füße zusammen, führte das Seil straff unter dem Bauch des Vogels hindurch.

Allmählich erwachte Tarnover und versuchte sich mühsam aufzurichten. Er stöhnte, rutschte weg und gewann sein Gleichgewicht zurück.

»Babbidge . . . Partridge, Ned Darrow . . .? Was zum Teufel habt ihr vor?«

Jason stemmte die Fäuste in die Hüften. »Och, wir spielen Ihnen nur einen kleinen Streich, genauso wie Sie es mit meinem kleinen

Bruder Dan taten. Der jetzt vermißt wird; vielleicht für immer, dank Ihnen.«

»Ich habe nie . . .«

»Geben Sie's schon zu, dann lassen wir Sie vielleicht wieder runter.«

»Vielleicht auch nicht«, sagte Ned. »Nicht bevor das Wheatsheaf schließt. Aber stellen Sie sich vor: vielleicht tun wir's doch.«

Tarnovers Beine rissen an den Fesseln, um sie zu prüfen. Er zuckte zusammen. »Ich habe Ihrem Bruder wirklich kein Haar gekrümmt.«

Sam lächelte hart. »Das haben wir auch mit Ihnen nicht vor. Ist ja nicht unsere Schuld, wenn ein Vogel beschließt, fortzufliegen. Na, immerhin ist er erst seit etwa einer Stunde hier. Könnte leicht noch die ganze Nacht bleiben. Stimmt's, Leute?«

»Stimmt«, sagte Ned. »Und ich hab Durst. Fahren wir um die Wette? Der letzte schmeißt eine Runde.«

»Er hat zugegeben, daß er es war«, sagte Jason. »Ihr habt's alle gehört.«

»Hört mal, es tut mir aufrichtig leid . . .«

»Halten Sie die Klappe«, entgegnete Sam. »Sie können hier eine Weile schmoren. Das wird Ihnen zeigen, wie Sie die Babbidges haben schmoren lassen. Denken Sie darüber nach, wie leid es Ihnen wirklich tut.« Partridge zog sein Segel hoch.

Es war nicht gerade so, wie Jason sich seine Rache vorgestellt hatte. Irgendwie war er sogar enttäuscht. Und doch, für Tarnover war es ohne Zweifel schlimm genug. Der Champion schwitzte gehörig . . . Auch Jason zog nun sein Segel hoch. Allmählich glitten die Männer davon – und kamen eine viertel Meile entfernt wie durch ein plötzliches unausgesprochenes Einvernehmen wieder zum Stehen. Sie starrten zurück zu Tarnovers kleiner Silhouette auf seinem Metallroß.

»Also, ich an seiner Stelle«, meinte Sam, »würde mich rücklings entlangschieben, bis ich an der Spitze herunterfiele . . . Wäre zwar nicht ganz schmerzlos, aber so würde es jedenfalls klappen.«

»Brauchen nicht wiederzukommen, echt nicht«, sagte Ned. »Heh, was treibt er denn da?«

Die Silhouette hatte sich geduckt. Vielleicht war Tarnover in Panik geraten und konnte nicht mehr klar denken, aber es *sah aus,* als versuchte er sich weit genug vorzubeugen, um den Knoten unter ihm zu öffnen oder eines seiner Gelenke freizubekommen. Plötzlich kippte die ferne Gestalt zur Seite weg. Sie schwang um den Vogel herum, und Tarnovers Kopf und Brust hingen jetzt nach unten, seine Arme baumelten herab. Oder vielleicht hatte Tarnover gehofft, das Seil würde unter seinem vollen Gewicht reißen; aber es riß nicht. Und als er einmal in dieser Stellung war, gab es für ihn auch keine Möglichkeit mehr, wieder hinaufzukommen oder etwas anderes zu tun, als sich zentimeterweise zur Spitze des Vogels zu hangeln.

Ned stieß einen Pfiff aus. »Er hat sich ganz schön in Schwierigkeiten gebracht, keine Frage. Fast hätte er sich gekreuzigt.«

Jason zögerte etwas, bevor er sagte: »Vielleicht sollten wir umkehren? Ich meine, ein Mensch kann sterben, wenn er zu lange mit dem Kopf nach unten hängt . . . Nicht wahr?« Auf einmal schien die ganze Angelegenheit unklar und unbefriedigend zu sein.

»Umkehren?« Sam Partridge schnaubte verächtlich. »Gestern nacht hast du das Maul noch so voll genommen. Und wessen Idee war es denn, ihn auf dem Vogel festzubinden? Du wolltest ihm eine Lektion erteilen, und wir haben ihm eine erteilt. Wir haben nur versucht, dir einen Gefallen zu tun, Jay.«

»Ja, das weiß ich zu schätzen.«

»Mach nicht so ein Theater. Er wird in der Zeit, die es dauert, ein paar Schoppen zu nehmen, nicht gerade wie ein Strauß Blumen verwelken.«

Und so glitten sie weiter, zurück zum Wheatsheaf in Atherton.

Um halb elf, so ungefähr die schlimmste Zeit, um aufzubrechen, verschlug es die drei Männer wieder aus dem Brauhaus auf die Sheaf Street. Ein Viertelmond schlüpfte am wolkenverhangenen Himmel, der nur wenig Licht verbreitete, von Riß zu Riß.

»Ich bin reif fürs Bett«, sagte Sam. »Soll der Saukerl sich doch allein freistrampeln.«

»Und wen kümmert's, wenn er es nicht schafft?« meinte Ned. »Auf die Weise wird es niemand erfahren. Wer braucht schon einen Feind fürs Leben? Du etwa, Jay? Auf die Weise kannst du mit deinen Sachen weitermachen. Vielleicht bringt Tarnover deinen Bruder ja auch wieder von dort zurück, wo immer er jetzt sein mag.« Ned schulterte sein Segel, schwang seine Gleitkufen und marschierte munter die Sheaf Street hinauf.

»Aber«, sagte Jason. Er fühlte sich, als sei er in einen Misthaufen gestolpert. Der widerliche Geruch von Gemeinheit haftete an allem, was sich ereignet hatte. Die Erinnerung an Tarnover, der kopfüber am Bauch des Vogels hing, machte ihn regelrecht krank.

»Was aber?« sagte Sam.

Jason tat, als müßte er gähnen. »Nichts. Bis bald.« Und er machte sich auf den Heimweg.

Aber kaum war er außerhalb von Sams Sichtweite, ließ er sich durch Butcher's Row in Richtung des Glases gleiten, allein.

Es standen keine Sterne am Himmel, und bis auf einen gelegentlichen Schimmer Mondlichts war es dunkel. Doch die Brise wehte kräftig, und auf dem Glas war nichts, worüber man hätte stolpern können. Der Vogel würde sich höchstens um hundert Yards bewegt haben. Jason bekam ein gehöriges Tempo drauf.

Der langsame Vogel war noch da. Aber Tarnover nicht; am Bauch des Metallungetüms befand sich kein hängender Mensch mehr.

Als Jason seine Kufen abbremste, um sich das näher anzusehen, tauchten Gestalten aus der Dunkelheit auf, in der sie flach auf dem Glas liegend und von ihren Segeln bedeckt auf ihn gewartet hatten. Sechs Gestalten. Acht. Neun. Alle hatten im Umkreis von zwei- bis dreihundert Yards um den Vogel herum auf der Lauer gelegen, wenn auch nicht zu nahe – und keiner in Richtung von Atherton. Sie hatten einen breiten Korridor offen gelassen; den sie jetzt schlossen.

Als der Mann aus Tuckerton sich ihm näherte, stand Jason ganz still, wohl wissend, daß er keine Chance hatte.

Max Tarnover glitt heran, begleitet von dem fleischigen Farmer mit der Warze.

»Ich kam Ihretwegen zurück«, begann Jason.

Der Farmer sagte, aber nicht zu Jason: »Tatsächlich? Wie großzügig von ihm. Hätte er sich sparen können, wo doch Tim Earnshaw vorbeikam – als Master Tarnover geraume Zeit verschwunden war. Also, was wollen wir mit ihm anfangen, eh?«

»Wie du mir, so ich dir, würde ich sagen«, meinte eine andere Stimme.

»Soll er doch gehen und nach seinem kleinen Bruder suchen«, bemerkte eine dritte Stimme. »Statt andere Leute für ihn auf Botengänge zu schicken. Welch eine Frechheit.«

»Tarnover selbst sagte nichts; er stand einfach nur schweigend in der Nacht.

So wurde Jason schließlich auf den Rücken des Vogels gehoben, und man verschnürte ihm die Füße unter dem Bauch. Aber auch seine Handgelenke wurden zusammengebunden, und aus gutem Grund führte man das Seil außerdem noch durch seinen Gürtel.

Innerhalb weniger Minuten hatten sich alle Gleitfahrer auf den Weg nach Tuckerton gemacht.

Jason saß da. Er erinnerte sich an Sams Worte und versuchte zentimeterweise vorwärtszukriechen, aber mit an den Hüften festgebundenen Händen erwies sich das als unmöglich; er konnte keinen Angriffspunkt finden. Außerdem befürchtete er, daß er wie Tarnover das Gleichgewicht verlieren könnte.

Er saß da und dachte an seine Mutter. Vielleicht würde sie immer besorgter werden, wenn er nicht nach Hause kam. Vielleicht würde sie fortgehen und Onkel John wecken . . . Aber vielleicht war sie auch schon längst zu Bett gegangen.

Vielleicht würde sie nachts aufwachen und sich im Zimmer umsehen und Hilfe holen. Mit wilder Entschlossenheit versuchte er Bilder und Gedanken von sich zwei Meilen weit zu projizieren.

Eine Stunde zog sich dahin, eine zweite; jedenfalls nahm er das aufgrund der Bewegung der Mondsichel an. Er wünschte, er könnte sich nach vorn fallen lassen und einschlafen. Das wäre das beste; dann würde er nichts mehr wissen. Er fühlte sich immer noch betrunken genug, um einfach einzuschlafen, selbst mit gegen das Metall gepreßtem Gesicht. Aber im Schlaf konnte er leicht nach der einen oder anderen Seite hin wegrutschen.

Wie sollte seine Mutter einen doppelten Verlust überleben? Es schien, als sei ein Fluch auf die Babbidge-Familie gefallen. Aber natürlich trug dieser Fluch einen menschlichen Namen; und der Name lautete Max Tarnover. Also verfluchte Jason ihn eine Zeitlang und forderte Gerechtigkeit durch alle Bewohner von Atherton. Eine blutige Fehde. Brennende Hütten. Vielleicht eine Seuche. Jedenfalls den Tod. Und nie wieder ein Maifest.

Aber würden Sam und Ned auch wirklich kein Blatt vor den Mund nehmen? Und würden die Leute von Atherton ausreichend zornig sein, hinlänglich bereit, in einer Welt, wo alles andere so unsicher war, die Harmonie der fünf Dörfer zu zerstören? Besonders, da einige weniger mitfühlende Seelen behaupten würden, daß Jason, Sam und Ned mit dem Ganzen erst angefangen hatten.

Jason war so sehr damit beschäftigt, sich eine künftige Fehde zwischen Atherton und Tuckerton auszumalen, daß er beinahe vergaß, daß er rittlings auf einem langsamen Vogel saß. Nichts schien sich zu rühren, keine Bewegung fand statt. Als er sich wieder erinnerte, wo er war, überkam es ihn wie ein Schock.

Er ritt auf einem Vogel.

Aber für wie lange?

Er schwebte hier nun schon seit – na, sechs Stunden?

Ein Vogel konnte einen ganzen Tag lang bleiben. In diesem Fall blieben ihm noch weitere achtzehn Stunden, um gerettet zu werden. Und wenn er bloß noch einen halben Tag blieb, würde ihn das bis zum nächsten Morgen aushalten lassen. Immerhin.

Er begann sich zu fragen, was wohl unter der Metallhaut des Vogels stecken mochte. Etwas, das in fünf Meilen Umkreis die Landschaft in eine Glasebene verwandeln konnte, gewiß. Aber auch noch andere Dinge, Dinge, die ihn die Schwerkraft ignorieren ließen. Dinge, die ihn einfach verschwinden und woanders wieder auftauchen lassen konnten. Vielleicht eine Art Gehirn?

»Kannst du mich hören, Vogel?« fragte er ihn. Vielleicht hatte noch nie zuvor jemand zu einem langsamen Vogel gesprochen.

Der langsame Vogel antwortete nicht.

Vielleicht konnte er es nicht, obwohl er ihn trotzdem hörte. Vielleicht gehorchte er Befehlen.

»Verschwinde nicht mit mir auf dem Rücken«, bat er ihn. »Bleib hier. Flieg einfach so weiter.«

Aber da er das bereits tat, wußte er nicht, ob er ihm nun gehorchte oder nicht.

»Lande, Vogel. Laß dich bitte auf dem Glas nieder. Lieg ganz still.«

Er tat es nicht. Jason kam sich albern vor. Er hatte nicht die geringste Ahnung von dem Vogel. Niemand hatte das. Doch irgendwo mußte jemand diese Ahnung haben. Vielleicht kamen die langsamen Vögel tatsächlich von Gott, als ein Wunder, um zu bestrafen. Um den Menschen die Gottesfurcht zu lehren. Aber weshalb sollte ein Gott wollen, daß man ihn fürchtet? Außer Gott war krank, dann mochten die Vögel durchaus von Ihm geschickt sein.

Sie waren etwas Irrationales, etwas von Sonstwo, etwas, das ihre Opfer nicht besser verstehen konnten, als eine Ameisenkolonie den derben Stiefeltritt des Gärtners versteht, der die weißen Eier der Sonne und den Spatzen aussetzt.

Vielleicht hatte etwas im vorigen Jahrhundert von Sonstwo die Meere erobert, etwas, das Landlebewesen einfach nicht mochte. Keine. Egal, ob Menschen oder Schafe, Vögel oder Würmer oder Pflanzen . . . Nun, das schien nicht sehr wahrscheinlich zu sein. Salzwasser griff Stahl an. Zum erstenmal in seinem Leben dachte Jason ernsthaft darüber nach.

»Vogel, was bist du? Weshalb bist du hier?«

Weshalb, dachte er, ist überhaupt etwas hier? Weshalb gibt es eine Welt und den Himmel und Sterne? Weshalb gab es nicht einfach nur nichts für immer und ewig?

Vielleicht war dies das Wesen des Todes: nichts für immer und ewig. Und das Leben war wie ein langsamer Vogel. Tauchte auf und verschwand wieder, mit nichts davor und nichts danach.

Eine unermeßliche Zeitspanne später kroch die Dämmerung am Himmel hinter ihm empor und verwusch das Schwarz zu einem faserigen Grau. Die Gräue näherte sich langsam über ihm, während dicke Wolken das Licht der aufgehenden, aber noch verborgenen Sonne filterten. Bald war genug Helligkeit vorhanden, daß sich um ihn herum alles deutlich erkennen ließ. Es mußte fünf Uhr sein. Oder sechs. Doch das graue Glas blieb spiegelglatt und leer.

Wer bin ich? überlegte Jason ruhig und still. Weshalb bin ich mir einer Welt bewußt? Warum haben die Menschen einen Geist und denken Gedanken? Zum erstenmal in seinem Leben spürte er, daß er wirklich nachdachte – und das Nachdenken führte zu keinem Ergebnis. Es führte nirgendwohin.

Er erkannte, daß er sich auf das Sterben vorbereitete. Genau wie alles Land sterben würde, Stück für Stück, zu Glas verschmolzen, so auch er. Dann würde niemand mehr Gedanken denken, so daß es egal wäre, ob ein gewisser Jason Babbidge eines Morgens im Mai um halb sieben zu denken aufgehört hatte. Schließlich geschieht das gleiche jede Nacht, wenn man zu Bett geht, nicht wahr? Man hört zu denken auf. Vielleicht war danach alles klarer und reiner. Weniger schmutzig, weniger ärgerlich: ein reiner Ball aus Glas. Wirklich nicht im geringsten ärgerlich, selbst wenn alle Sterne am Himmel ineinanderstürzten, selbst wenn die Erde von der Sonne verschluckt wurde. Stille, für immer: einst würde es nichts mehr zu hören geben.

Vielleicht war dies die Botschaft der langsamen Vögel. Doch die Leute schnitzten nur ihre Initialen hinein. Und ihre Herzen. Und die Namen von Orten, die in einem Blitz vergangen waren; und anderer Orte, die erst noch vergehen würden.

Ich werde ja zum Philosophen, dachte Jason verwundert.

Er mußte in einen überbewußten Zustand des Geistes eingetreten sein: voll lichter Klarheit, wenn auch ohne direktes Bewußtsein von seiner Umgebung. Denn er war sich nicht völlig bewußt, daß Hilfe eingetroffen war, bis das Seil, das seine Fußknöchel zusammenband, durchschnitten und sein rechter Fuß abrupt hochgestemmt wurde, was ihn auf der anderen Seite des Vogels in hilfreich wartende Arme stürzen ließ.

Sam Partridge, Ned Darrow, Frank Yardley und Onkel John; und Brian Sefton von der Sägemühle – der sich jetzt rasch unter den Vogel duckte, ein Messer zückte und das Seil um seine Hände durchschnitt.

In aller Eile zogen sie sich vom Vogel zurück und zerrten Jason mit sich. Er wehrte sich schwach. Er streckte einen Arm nach dem Vogel aus.

»Ist ja in Ordnung, mein Junge«, besänftigte Onkel John ihn.

»Nein, ich will *verschwinden*«, protestierte er.

»Häh?«

In diesem Augenblick verschwand der langsame Vogel, der nun lange genug hier geschwebt hatte; und Jason starrte sprachlos dorthin, wo er sich zuletzt befunden hatte.

Schließlich mußten seine Freunde und sein Onkel ihn von der nichtssagenden Stelle auf dem Glas fortführen, als wäre er ein Idiot. Jemand, den der Schwachsinn heimgesucht hatte.

Doch Jason blieb nicht lange sprachlos.

Allmählich begann er zu erzählen. Oder zu predigen. Je nachdem. Und die Leute hörten ihm zu; erst in Atherton, dann auch an anderen Orten.

Der langsame Vogel habe ihm Weisheit gegeben, sagten die Leute von ihm. Er habe während der Nachtwache auf dem Glas mit dem Vogel kommuniziert.

Seine Lehre des Nichts und der Stille verbreitete sich, schlug Wurzeln in fruchtbarer Erde, wo mehr Erde als Glas übrig war – was an den meisten Orten durchaus noch der Fall war. Ein Widerspruch, vielleicht; doch wie überzeugend er sprach – über das Stillesein! Und indem er es tat, schien er das Schweigen der Glasseen zum Singen zu bringen; und den Leuten nahe, die ihm mit neuerwachter Aufmerksamkeit lauschten.

Jason reiste kreuz und quer über die Insel. Und dies war ein weiterer Widerspruch, denn was er lehrte, war eine Art von Passivität, ein wonnevolles Warten auf den Tod, der mehr als bloß persönlich war, ein Tod, der auch der Tod der Sonne und der Sterne und jeglichen Daseins war, ein kosmischer Tod, der die individuelle Sterblichkeit verklärte. Und manchmal saß er sogar auf dem Rücken eines Vogels, der zufällig vorbeikam, und sprach zu einer Menge – als wollte er das Schicksal herausfordern oder den Vogel bitten, daß er ihn mitnähme. Doch saß er dort nie länger als eine Stunde, dann raffte er sich auf, zitternd, aber zufrieden. So wurde er nicht nur als ›Der stille Prophet‹, sondern auch als ›Der Mann, der die langsamen Vögel reitet‹ bekannt.

Alles in allem kann man sagen, daß er sich große psychologische Verdienste um die Gemeinden erwarb, die überlebt hatten; und seine Worte verbreiteten sich sogar übers Meer. Seine Mutter starb voller Stolz auf ihn – dachte er –, obwohl immer ein Element nachdenklicher Zurückhaltung in ihrem Verhalten gewesen war . . .

Etliche Jahre später, als Jason Babbidge sich dem sechsten Lebensjahrzehnt näherte und ihn noch immer kein Vogel davongetragen hatte, ließ er sich wieder in Atherton in seinem alten Zuhause nieder – zu dem Pilger der Stille kamen, um dem Dorf und besonders dem Wheatsheaf Wohlstand zu bringen, das jetzt von der Tochter des früheren Gastwirts geführt wurde.

Und an jedem Maifeiertag wurde immer noch das Eissegelfest abgehalten, aber nicht mehr auf dem Glas von Atherton. Es war auch nicht länger ein Rennen und ein Wettstreit; denn das Rennen des Lebens läßt sich schließlich auch nicht gewinnen. Statt dessen war es ein Umzug geworden, ein Glasballett, eine Neuinszenierung der Ereignisse, die vor vielen Jahren geschehen waren – ein Passionsspiel, das von den vier übriggebliebenen Dörfern abgehalten wurde.

Tuckerton und seine gesamte Bevölkerung war vor zehn Jahren von einem sich zerstörenden Vogel glasiert worden, so daß der Kreis der Vernichtung nun genau den Rand des Glases berührte, wo Tuckerton sich bis dahin befunden hatte.

Eines Morgens, am Tag vor dem Fest, ertönte ein Klopfen an Jasons Tür. Seine Haushälterin, Martha Prestidge, war zum Einkaufen ins Dorf gegangen; also öffnete Jason selbst.

Ein Junge stand draußen. Mit rotem Haar und Sommersprossen.

Einen Moment lang erkannte Jason den Jungen nicht. Doch dann sah er, daß es Daniel war. Daniel, unverändert. Oder vielleicht ein bißchen größer geworden. Vielleicht ein Jahr älter.

»Dan . . .?«

Der Junge musterte Jason amüsiert: seinen kahlen Schädel, seinen vorstehenden Bauch, seine jetzt spindeldürren Beine und den schweren Stab mit stilisiertem Vogelkopf, auf den er sich stützte und dessen Knauf er mit leberfleckiger Hand umfaßte.

»Jay«, erklärte er nach einer Weile, »ich bin zurückgekommen.«

»Zurück? Aber . . .«

»Ich weiß jetzt, was die Vögel sind! Es *sind* Waffen. Geschosse. Zehntausende, Hunderttausende gibt es von ihnen. Es findet ein Krieg statt. Aber er ist wie ein Spiel: ein Brettspiel, das von Maschinen geführt wird. Maschinen, die denken. In ihrer Zeit läuft er erst seit einigen Tagen. Die Geschosse springen in der Zeit vor und zurück, um ans Ziel zu gelangen. Aber sie können nicht in der Zeit ihrer Welt manövrieren, wegen Ursache und Wirkung. Deshalb erledigen sie das Manövrieren hier. In unserer Welt. Der anderen Möglichkeitswelt.«

»Das ist doch Unsinn. Interessiert mich nicht.«

»Aber das muß es, Jay! Wir können es hier bei uns aufhalten, bevor es zu spät ist. Ich weiß, wie. Beide Seiten können die Geschosse der jeweils anderen stören und sie außer Sichtweite zur Explosion bringen – also hier –, wenn sie sie schnell genug finden. Aber der Krieg ist dort drüben völlig außer Kontrolle geraten. Sie folgen einem Gewinnmuster, aber das geht nur noch die Maschinen etwas an, und die haben sich unter der Oberfläche vergraben. Sie bauen die Vögel in großer Anzahl mit Material aus der Erdkruste und schießen sie automatisch in die Anderszeit.«

»Hör auf, Dan.«

»Ich fiel dort drüben vom Vogel – aber ich fiel in einen See, so daß ich nicht getötet wurde, nur verletzt. Es sind immer noch ein paar Flecken Land übrig, um die Basis herum. Sie flickten mich zusammen, die Leute dort. Sie sind am Ende, in ein paar weiteren Stunden ihrer Zeit – obwohl es Dutzende von Jahren für uns sind. Ich brachte ihnen große Hoffnung, weil es bedeutete, daß nicht alles Leben zu Ende ist. Nur ihres. Das Leben wird weiterbestehen. Was wir tun müssen, ist eine Maschine bauen, die ihre Maschinen davon abhalten kann, die langsamen Vögel hier bei uns zu finden. Durch Interferenzen in der Luft. Es gibt Wellen. Wie Lichtwellen, aber man kann sie nicht sehen.«

»Du phantasierst.«

»Dann werden die Vögel hier immer noch manövrieren. Aber harmlos. Ohne uns zu glasieren. Und in hundert oder einigen hundert Jahren werden sie aufhören, überhaupt zu kommen, weil das Gewinnmuster dann ausgearbeitet sein wird. Eine der Kriegsmaschinen wird aufgeben, weil sie das Spiel verloren hat. Oh, ich weiß, sie sollte in der Lage sein, bereits jetzt aufzugeben! Aber es ist auch ein Element des Irrationalen in die Gehirne der Maschinen einprogrammiert; damit sie nicht zu früh aufgeben. Wenn sie es tun, wird jeder dort auf dem Land längst tot sein – und einige Überlebende glauben, die Kriegsmaschinen werden als letzte Strategie, ehe sie fertig sind, damit beginnen, den Meeresboden zu glasieren. Aber wir können einen Luftwellenmacher bauen. Sie haben das Wissen in meinem Gehirn verankert. Wir werden ein paar Jahre brauchen, um die richtigen Metalle zu schürfen und die nötigen Maschinen aufzustellen und uns eine Energiequelle zu erschließen . . .« Der junge Daniel rang nach Atem. Er keuchte. »Sie hatten einen prototypischen langsamen Vogel. Sie setzten mich auf ihn und schickten mich wieder in die Anderszeit. Sie schafften es, ihn zu lenken. Er tauchte nur zehn Meilen von hier entfernt auf. So kam ich nach Hause.«

»Prototypisch? Luftwellen? Energiequellen? Was ist das alles?«

»Kann ich dir sagen.«

»Das sind doch bloß Worte. Leeres Geschwätz. Oh, daß doch dies Geschwätz der Welt enden möge!«

»Gib mir nur etwas Zeit, und ich . . .«

»Zeit? Du begehrst Zeit. Das krankhafte Ticken des menschlichen Geistes an Stelle der großen reinen Leere unendlicher Stille? Du weist

die Anerkennung von dir? Du willst, daß wir auf ewig ziellos umher-
schwärmen, uns mit unserem lärmenden Geschwätz betäuben?«

»Sieh mal . . . ich nehme an, du hast ein langes schweres Leben
hinter dir, Jay. Vielleicht hätte ich nicht gleich hierherkommen
sollen.«

»Oh, aber das hättest du durchaus, mein ungestümer Narr von
einem Bruder. Und ich glaube nicht, daß ich mein Leben schlecht
verbracht habe.«

Daniel tippte sich an die Stirn. »Es ist alles hier drin. Aber ich
bringe es wohl besser zu Papier. Mache Kopien und bringe sie in
Umlauf – nur für den Fall, daß Atherton glasiert wird. Dann wird
jemand anderer wissen, wie man den Sender baut. Und das Leben
kann weitergehen. Dort drüben denken sie, daß die menschliche
Rasse vielleicht das einzige Leben im ganzen Universum ist. Also
haben wir die Pflicht, weiterzuexistieren. Bloß, die anderen haben
sich beim Streit darüber, wie man existieren sollte, selbst zerstört.
Aber uns bleibt immer noch genug Zeit. Wir können Schiffe bauen,
die durchs Weltall zu den Sternen segeln. Ich weiß auch darüber ein
wenig Bescheid. Ich sage dir, mein Besuch brachte ihnen in ihren
letzten Stunden wirklich Freude, zu wissen, daß dies nach alledem
noch möglich sein wird.«

»Oh, Dan.« Und Jason stöhnte. Wie ein Bischof hob er seinen Stab
und ließ ihn krachend auf Daniels Schädel niederfahren.

Er hatte sich vorgestellt, daß ihm das Blut zwischen Daniels
hellrotem Haar nicht weiter auffallen würde. Aber das tat es.

Der Körper des Jungen sackte im Türrahmen ihn sich zusammen.
Mühsam zog Jason ihn herein und dann mit noch mehr Mühe über die
Eichenstufen zur Dachstube hinauf, die Martha Prestidge kaum
jemals betrat. Die Leiche mochte nach einiger Zeit zu riechen
anfangen, aber er konnte sie in alte Decken einwickeln.

Wie auch immer, die Rückkehr seiner Haushälterin im Erdge-
schoß lenkte Jasons Aufmerksamkeit ab. Er ließ den Körper auf dem
Boden zurück, hastete hinaus, schloß ab und steckte den Schlüssel
ein.

Es war Sitte geworden, nach den Maifestfeierlichkeiten ausgewähl-
te Gäste in das Babbidge-Haus einzuladen; deshalb würde Martha
Prestidge den Rest des Tages mit Putzen und Kochen und dem
Ausschmücken des Hauses verbringen. Wie es nun einmal die Art von

Haushälterinnen ist, ließ sie durchblicken, daß Jason ihr im Wege herumstand; also begab er sich zum Glas und hinaus auf die perfekte Ebene, um dort zu stehen und zu meditieren. Dorfbewohner und Auswärtige, die die einsame Gestalt dort erspähten, nickten froh. Ihr Prophet war im Frieden mit sich selbst, führte die Aufsicht über ihr aller Leben. Und über ihren Tod.

Die Glassegelmaskerade, das Passionsspiel, wurde am nächsten Tag so strahlend und anmutig inszeniert wie niemals zuvor.

Zwei Tage vergingen, ehe Jason sich überwinden konnte, mit Sackleinen und einer Schnur wieder zur Dachstube hinaufzugehen. Er öffnete die Tür.

Aber mit Ausnahme eines dunklen Streifens geronnenen Blutes waren die Bodendielen leer. Da war nichts als das übliche Gerümpel, das sich an den Wänden stapelte. Im ganzen Zimmer gab es keine Leiche. Und das Fenster stand offen.

Also hatte er Daniel gar nicht getötet. Der Junge hatte sich von dem Schlag wieder erholt. Wilde Gefühle regten sich in Jason, brachten seine übliche Gelassenheit in Aufruhr. Er starrte aus dem Fenster, als könnte er den Jungen unten auf dem Kopfsteinpflaster liegen sehen. Aber von Daniel gab es keine Spur. Er suchte in ganz Atherton, wie ein vom Spuk heimgesuchter Mann, stellte keinerlei Fragen, sondern sah nur jeden durchdringend an. Als er nirgends einen Hinweis fand, bestellte er ein Pferd und einen Wagen, die ihn nach Edgewood brachten. Von dort aus reiste er um das gesamte Glas herum, durch Buckby und Hopperton; und jetzt fragte er jeden, wo immer er hinkam: »Haben Sie einen Jungen mit rotem Haar gesehen?« Die Dorfbewohner erzählten sich, daß Jason Babbidge eine weitere Vision gehabt habe.

Das hätte durchaus der Fall sein können, denn binnen eines Jahres begann aus weiter Ferne die Nachricht von einem neuen Lehrer mit einer neuen Botschaft zu dringen. Dieser neue Lehrer war noch jung, aber auch er war auf einem langsamen Vogel geritten – viel länger, als dies der Stille Prophet getan hatte.

Allerdings schien es, daß dieser junge Lehrer einen gewissen Mangel aufwies, denn er konnte sich nicht an alle Details seiner Botschaft erinnern, an das, was ihm aufgetragen worden war zu verkünden. Manchmal hämmerte er voller Frustration mit den Fäusten gegen seinen Kopf, bis es schien, daß Blut fließen würde. Doch perverserweise zog dieses offenkundige Theater einige Ruhelose und Störenfriede im Publikum geradezu magisch an. Sie glaubten ihm, weil sie seine Wut sahen, und sie spiegelte ihre eigenen unterdrückten Ängste wider.

Jason Babbidge hielt eifrig Reden, um den rebellischen neuen Ideen zu begegnen, und erschöpfte sich dabei. All die philosophische Schönheit, die er in die sterbende Welt getragen hatte, schien jetzt am Rande des Abgrunds zu stehen; und zögernd rief er zu einem Kreuzzug gegen den neuen Lehrer auf, um seinen eigenen Traum von unterwürfiger Ergebenheit zu verteidigen.

Zwei Jahre später hätte er nur zu sehr gewünscht, seine Worte zurücknehmen zu können, denn folgerichtig trampten die Leute zwischen den Zonen der Vernichtung übers Land, bewaffnet mit Mistgabeln und Hippen, Hackbeilen und Sicheln. Dörfer wurden verbrannt; viele Hunderte wurden massakriert; und es gab Seuchen – was alles einen früheren Alptraum Jasons von vor der Zeit seiner Offenbarung ins Leben zurückzurufen schien.

Im dritten Jahr dieses scheinbar endlosen Scharmützels zwischen den Pazifisten und den Survivalisten starb Jason, voll Bitterkeit unter seinem Mantel der Gelassenheit; und um ihn zu beerdigen, wurde sein Körper auf einen langsamen Vogel gebunden. Treue Trauernde begleiteten den Vogel in stiller Prozession, bis er Stunden später verschwand. Kurze Zeit darauf, recht unmittelbar nach der Schlacht von Ashton Glass, war alles vorbei. Es endete mit einem Sieg der Survivalisten, die von ihrem jungen rothaarigen Champion angeführt wurden, der, wie man feststellte, eine bemerkenswerte Ähnlichkeit mit dem alten Jason Babbidge hatte, so daß es fast schien, als hätten zwei Grundprinzipien der Existenz sich zu einem Wettstreit in der Welt getroffen: zwei Aspekte ein und desselben Wesens, zwei Gesichter desselben Menschen.

Fünfzig Jahre später, in deren Verlauf ein volles Drittel des Landes zu Glas geworden war und das Klima sich verschlechtert hatte, entwickelte das Survival College in Ashton endlich die versprochene Maschine; und von da an tauchten langsame Vögel zwar immer noch auf, um dahinzutreiben und wieder zu verschwinden, aber keiner von ihnen explodierte jetzt mehr.

Und nach weiteren einhundert Jahren verschwanden die langsamen Vögel ganz von der Erde. Irgendwo war ein Krieg vorbei, folgerichtig und endgültig.

Doch mittlerweile war von einer Erde, deren Landmasse – zwischen Flächen aus unfruchtbarem spiegelnden Glas – zu vier Fünfteln aus Wüsten und Mooren bestand, das erste Raumschiff in eine Umlaufbahn gestartet.

Es trug den Namen *Langsamer Vogel*. Denn es flog langsam zu den Sternen empor. Langsam nach menschlichen Maßstäben; es würde zwei Generationen brauchen. Aber das wäre noch verhältnismäßig schnell.

Und schon bald sollte ihm ein zweites Raumschiff folgen; mit dem Namen *Daniel*.

Aber nach diesem gewaltigen und erschöpfenden Erfolg würden keine Raumschiffe mehr starten. Die verbliebene menschliche Rasse würde sich niederlassen, um zu kultivieren, was von ihrem Garten zwischen den Dünen und Überschwemmungen und weiten Glasebenen noch übriggeblieben war. Ob auch nur eines der beiden Raumschiffe eine neue Heimat finden würde, die so bewohnbar war wie wenigstens ein Teil der verglasten Erde, würde einzig dem Glauben überlassen bleiben.

Im Alter von achtzig Jahren lag Daniel, der sich niemals zu einem Familiennamen bekannt hatte, in Ashton College auf seinem Sterbebett.

Das Zimmer war fast unschicklich überfüllt, obwohl es von dem Wind, der über Ashton Glass dahinpfiff, sanft durchlüftet, und von dem silbrigen Glanz, den die verglaste Ebene funkelnd zurückwarf, in ein helles Licht getaucht wurde.

Der sterbende alte Mann auf dem Bett unter einem einzelnen Laken aus Seide sah jetzt selbst wie ein Vogel aus: bis auf die dünnen Knochen geschrumpft, ein Schnabel von einer Nase, kreisrunde Augen und ein Hahnenkamm aus rotem Haar auf dem Kopf.

Er hob eine zerbrechliche Hand, als wollte er jene, die ihn nahe umstanden, noch näher zu sich heranwinken. In Wirklichkeit wollte er die alte Wunde an seinem Schädel berühren, der kürzlich heftig zu schmerzen begonnen hatte, als wollte er auseinanderplatzen oder in sich zusammenfallen und die Tür zu seiner Erinnerung schließen –

ungeachtet der Tatsache, daß jetzt niemand mehr den dort verborgenen Schlüssel brauchte, denn seine Studenten hatten ihn völlig unabhängig davon entdeckt, allein aufgrund ihres Wissens, daß es ihn gab.

Gesichter beugten sich über ihn: vertraute, hingebungsvolle Gesichter.

»Also haben sie aufgehört zu explodieren?« fragte er vergeßlich.

»Ja, ja, schon vor Jahren!« versicherten sie ihm.

»Und die Sterne . . .?«

»Wir werden die Raumschiffe bauen. Wir werden herausfinden, wie.«

Seine Hand fiel auf das Laken zurück. »Nennt eines von ihnen . . .«

»Ja?«

»*Daniel*. Werdet ihr . . . das tun?«

Sie versprachen es ihm.

»Auf diese Weise . . .«

»Ja?«

». . . fliegt . . . mein Geist . . .«

»Ja?«

». . . in die Stille des Weltraums.«

Das verwirrte die Zeugen seines Todes etwas: denn sie konnten nicht wissen, daß Daniels letzter Gedanke dem Tage des Starts galt, an dem er und sein Bruder endlich wieder vereint sein würden.

WEISSE SOCKEN

Harry und Helen Sharp hatten vor einem Jahr geheiratet; diese afrikanische Nation war seit zwei Jahren unabhängig. Zuhause wäre Harry ein gewöhnlicher Angestellter gewesen, während er hier als Experte für das Finanzministerium tätig war. Sowohl er als auch Helen waren liberal gesinnt; deshalb hatten sie den Job in Schwarzafrika ja überhaupt erst angenommen. Und Harry wäre der erste gewesen, der zugegeben hätte, daß die ihnen gebotenen Umstände – Haus im Bereich der Austernbucht, Leihgabe eines VW-Käfers zur freien Verfügung – ungewöhnlich großzügig waren. Wo er doch gar kein Experte war, höchstens im Vergleich mit den Einheimischen.

Eines, worin sie jedoch nach zwölf Monaten Experten *waren,* war die Ehe; deshalb hatte sie der Hochzeitsempfang der Ismaili, dem sie gestern beiwohnten, auch mit Erheiterung und peinlichem Mitgefühl erfüllt; und das hielt noch an, als sie landeinwärts fuhren.

Die Braut, Gulzar, war Sekretärin im Ministerium gewesen; Harry hatte sich ihr gegenüber stets nett, freundlich und zuvorkommend verhalten. Das Leben von Asiaten in einem schwarzafrikanischen Land erschien ihm so bitter wie das einer bedrohten Spezies; und geradezu rätselhaft. So hatte die Einladung zum Empfang ihnen beiden faszinierende Einblicke gewährt. Über die sie immer noch nachdachten, als Harry dahinfuhr.

»Hast du all den Flitter auf dem Brautbett gesehen?« seufzte Helen. (Denn sämtliche Gäste waren nach oben gebeten worden, um dem Schauspiel der bevorstehenden Defloration beizuwohnen.) »Es war das gleiche glasige Zeug, das man auf Weihnachtskarten streut, um sie zum Funkeln zu bringen. Ist dir je ein Korn davon unter den Nagel geraten? Stell dir vor, sie hätten *das* in *unserer* Hochzeitsnacht überall aufs Laken gesprüht?«

»Das kommt daher, daß man den Aga Khan einst mit Diamanten aufwog«, sagte Harry. »Ismailis haben eine Vorliebe für Flitterkram – und Süßigkeiten. Was mich verblüffte, war die Schale mit Schokolade und Fudge* neben dem Bett, die ihnen Kraft geben soll.«

* Weiches Zuckerwerk aus sirupartiger Masse; wird häufig als Bonbonfüllung benutzt. – *Der Übers.*

39

»Die Wände waren aus Sperrholz, so dünn wie nur was. Gulzar war weiß wie ein Laken, das arme Mädchen.«

»Außer an den Händen!«

Was stimmte. Wie verschlungene Tätowierungen hatte man der Braut, um ihr Glück zu wünschen, ein farbiges Muster aus Schokolade auf die Hände gemalt, so daß sie ausgesehen hatten, als leide sie an einer Hautkrankheit. Die Etikette verbot es Gulzar, diese dekorierten Hände zum Mund zu führen. Folglich hatten alle alten Frauen der eigenen und der Familie ihres Gatten sie mit riesigen Stücken vom Hochzeitskuchen gefüttert; Krümel waren Gulzars weißes Brautkleid hinabgerieselt. Und während sie einer nach der anderen vorbeizogen, hatten die alten fetten Weiber sämtlich eine Banknote in Gulzars glückliche Hände gedrückt, bis die Braut schließlich ein großes zerknautschtes Wischtuch zu umklammern schien, mit dem es ihr nicht erlaubt war, die Krümel wegzufegen.

»Ist dir aufgefallen, wie still alles ablief?« erkundigte sich Harry. »Keine Musik oder Reden. Leere Gesichter, Schweigen. Ich frage mich, wieviel Gulzar über Sex wußte?«

Sie lächelten beide komplizenhaft.

Die Fenster des VWs waren heruntergekurbelt, um den Wagen in der Hitze zu durchlüften. Sie hatten schon hundert Meilen gepflasterter Straße hinter sich gebracht, die nun bald enden würde. Der Teerstreifen erstreckte sich vor ihnen in einer fast geraden Linie durch den Busch, hob und senkte sich bloß mit der Lage des Landes. Verästelte Wolfsmilch wuchs so hoch wie ein mittelgroßer Baum. Gelegentliche einsame Affenbrotbäume glichen riesigen weißen Tintenfischen in Habachtstellung. Von den Fingerspitzen anderer Bäume hingen lange phallische Kürbisse. Hier und da kreuzten schmale Fußspuren den wilden Busch, Zeichen versteckt lebender Kleingrundbesitzer – oder eine in schwarze Leichentücher gehüllte Frau stand im Schatten und balancierte ein großes Bündel Holz auf dem Kopf; oder man hatte einige Körbe mit Knochenkohle am Straßenrand abgestellt, um noch mehr zu sammeln. Andererseits, auf den ersten Blick: Wer lebte hier schon; oder konnte hier leben? Im Gegensatz zu der saftig grünen Wildnis in Küstennähe herrschte hier völlige Unfruchtbarkeit. Es schien hier nirgendwo Menschen zu geben; obwohl es der Fall war. Es dauerte nur eine Weile, bis man dahinterkam.

Auf der Straße selbst fuhren etliche Öllastzüge, von denen einige alt und klapprig waren, hoch mit Fässern beladen; andere waren neue italienische Modelle mit dicken Gummitonnen voll Öl, die auf der Pritsche lagerten. Schon hatte der VW auf ihrer Fahrt zehn oder zwölf davon überholt, nicht zu vergessen mehrere Wracks, von denen eines auf dem Dach lag und aus geborstenen Fässern immer noch Öl verlor. Die Lastwagenfahrer fuhren die ganze Nacht hindurch.

Allmählich schob sich im Südwesten ein Gebirgszug in den Himmel.

»Der Uluguru«, sagte Helen.

Vor einigen Wochen hatten sie das Kino in der Stadt besucht. In der Bar waren sie bei ein paar Bieren und klapperndem Ventilator über den Köpfen mit einem maltesischen Prospektor ins Gespräch gekommen, während sie auf den Beginn der Show warteten. Helen hatte ihm erzählt, daß sie und Harry eine eintägige Safari zum Mikumi-Jagdreservat planten; jede Reise, egal wie kurz oder ernsthaft, war eine ›Safari‹. Er hatte ihnen seinerseits mürrisch anvertraut, daß die Berge, die sie auf dem Weg dorthin passieren würden, voll Lithium waren, solide Wände voll Lithium; aber da eine südafrikanische Gesellschaft die Schürfrechte besaß und kein Gewinn nach Südafrika fließen durfte, konnte man diese Berge nicht abbauen.

»Uluguru: wie das Geräusch des Windes, der um die Gipfel streicht«, fügte sie hinzu.

Vorgebirge, die sanft zur Straße hin ausliefen, waren in Sisal gekleidet: ein Grundstück schnitt eine Schneise in den Busch. Die einförmigen Reihen grüner Nägel in roter Erde wurden von einer rostigen, schmalspurigen Eisenbahnstrecke benutzt.

Bald passierten sie einen Rastplatz für Öllastzüge: eine einsame Schlammhütte, deren Strohdach mit rostigen Faßdeckeln gegen Wasser geschützt war. Ein paar Laster hatten davor Halt gemacht. Die Fahrer standen herum und tranken Bier aus alten Marmeladegläsern, die man mit Holzgriffen versehen hatte.

Einige Meilen weiter überholten sie einen in Lumpen gekleideten Mann, der die Straße entlanglief. Er rannte wie wild, hüpfte und sprang, eilte auf der Teermakadamstraße von Nirgendwo zu Nirgendwo. Er schien den Motor des Wagens nicht zu hören, bis der VW herangekommen war; dann, als sie vorbeifuhren, hechtete er in den Graben, sprang wieder heraus und fuchtelte mit kreisenden Armen wie verrückt hinter ihnen her.

Was wollte der Mann? Lag sein Kind im Sterben? Sollten sie anhalten? Der Prospektor hatte ihnen geraten, nicht anzuhalten. Sie hatten starke liberale Bedenken gegen diesen Rat gehabt, doch jetzt, da eine solche Situation eingetreten war, befolgten sie ihn. Dennoch schwiegen Harry und Helen von dem Mann; im Augenblick jedenfalls. Statt dessen setzten sie mit bitterem Humor ihr Gespräch über die Ismaili-Hochzeit fort. Schließlich hätten sie den Mann sowieso nicht fragen können, was er wollte; ihr Kisuaheli reichte dazu nicht aus. Und schon bald würde ein Öllaster vorbeikommen, gefahren von jemandem aus seinem eigenen Volk.

Dann endete die Teermakadamstraße; ganz unversehens, als wären die Geldmittel auf einmal erschöpft gewesen. Oder als befände sich hier eine unsichtbare Grenze zwischen dürrer Wildnis, in der einige wenige Leute lebten, und einer Wildnis, die nur von wilden Tieren bewohnt war. Vor ihnen verlief die Straße so gerade wie ehedem, aber jetzt war sie rot und gefurcht. Weiter vorne wirbelte ein Öllastzug roten Staub auf, der die Straße in einen Sandsturm aus groben Körnern hüllte.

Ein weiterer Öllaster rumpelte durch die Schmutzwolken, schob sie beiseite, die Scheinwerfer voll aufgeblendet, obwohl es erst früher Nachmittag war. Auch dieses Fahrzeug zog einen Sturm aus Sand und Kies hinter sich her. Harry verlangsamte etwas. Er konnte nicht mehr die Hand vor Augen sehen. Hastig kurbelten sie die Fenster hoch und husteten anhaltend.

»Der Bursche vorhin . . .« Er sprach, als hätte der Verlust an Triebkraft sie in die Reichweite irgendeiner Art von Strafe gerückt. »Was wollte er deiner Meinung nach?«

»Welcher Bursche?«

»Dieser seltsame Bursche, der wie ein Verrückter die Straße entlanglief, Hals über Kopf, und mit den Armen fuchtelte . . .«

»Er wollte wohl mitgenommen werden.«

»Ich meine, war es etwas Ernstes? Man läuft schließlich nicht einfach so drauflos, nicht in dieser Hitze.«

»Nun, *er* lief jedenfalls.«

»Er hat uns zugewunken, stimmt's?«

»Nein, das glaube ich eigentlich nicht. Er hat sich erschreckt. Erinnerst du dich, wie er von der Straße sprang? Er fuchtelte mit den Armen, als versuchte er sein Gleichgewicht zu halten.«

»Ich habe ihn im Spiegel beobachtet. Er ist danach weitergerannt.«

»Ooh dieser Staub . . . Kannst du den Laster denn nicht überholen?«

»Zu riskant.« Harry mußte in Abständen von etwa einer Minute die Windschutzscheibe befeuchten und mit den Wischerblättern säubern; er fragte sich, wie lange das Wasser noch reichen mochte.

Das trockene Gras an der Straße war rot. Die Bäume wirkten wie mit rotem Puder bestäubt: die körnige Gischt unzähliger Lastwagen. Und jetzt tauchte zwischen den Bäumen auch noch eine rote Giraffe auf, verdrehte ihre haarigen Ohren.

»Sieh nur, eine Giraffe!«

»Wo?«

»Du hast sie verpaßt.«

»Du hast sie dir eingebildet.«

»Nein, sie stand dort zwischen den Felsen. Sie ist weggelaufen.«

Aber nicht alle wilden Tiere wurden vom Rattern und Stinken der Lastwagen verscheucht. Bald hielt der vor ihnen fahrende Öllaster an. Harry ließ den VW im Leerlauf weiterrollen und sah, daß hundert Yards vor ihnen Elefanten auf der Straße waren. Er bremste. Im Spiegel bemerkte er, wie der afrikanische Lastwagenfahrer sich hoch oben in seinem Kabinensitz zurücklehnte und eine Zigarette anzündete. Er hatte nicht die Absicht, diese Elefantenfamilie mit seinem schweren Fahrzeug einzuschüchtern. Der Grund war leicht ersichtlich. Ein anderer Fahrer hatte das in der Vergangenheit schon einmal getan, und jetzt hinkte das Baby der Gruppe auf einem seiner Hinterbeine, das doppelt gebrochen war, und der blanke Knochen ragte aus der Haut hervor. Sich der Ursache noch immer bewußt, peitschte der Bulle die Straße mit seinem Rüssel, nahm Staub und Steine auf und spähte feindselig zu den Fahrzeugen hinüber. Harry legte den Rückwärtsgang ein und fuhr einige Yards zurück.

»Schalt den Motor nicht aus.«

»Nein.«

Auf der anderen Seite der Gruppe hielt ein weiterer Öllaster und löschte die Lichter. Und die Straße erstreckte sich in die Ferne, sichtlich im Frieden, nur mit einem verkrüppelten Elefantenbaby und dem launischen Bullen und einem staubigen schwarzen Ölcontainer auf Rädern, die sie schweigend musterten . . .

»Ich wäre trotzdem lieber ein Ismaïli als ein Hindu, wenn's ans Sterben geht«, sagte Harry und beäugte den Elefantenbullen nervös. »Dieser grausliche Bratrost von einem Krematorium am Strand! Die Eisenstangen schwarz von Rauch, dieser schmierige Haufen Asche darunter . . .«

»Ich mag Ismailis. Sie sind anpassungsfähig.«

»Sie sind weich«, sagte er. »Weich wie Pralines. Man kann sie zu leicht einschüchtern.«

Während sie warteten, kurbelten sie die Fenster herunter. Kaum geschehen, drängten sich schillernde Fliegen zu ihren Füßen wie eine Horde von Teufeln oder Furien. Die Fliegen bissen sie durch die Socken. Sie mußten sie einzeln abpflücken. Aber bald darauf zog sich der Bulle von der Straße zurück, und sie konnten weiterfahren, diesmal vor dem Öllaster. Als der VW einmal in Bewegung war, peitschte die Luft so sehr hindurch, daß sämtliche Fliegen flüchteten, um statt dessen wieder Tiere zu peinigen.

Das Mikumi-Lager befand sich eine halbe Meile abseits der Hauptverkehrsstraße, und als sie schließlich dort eintrafen, reduzierte sich der Lärm der Öllaster, die diese Strecke benutzten, auf das Summen von Insekten. Weit davon entfernt, das Gefühl des Friedens zu stören, schienen die manchmal vorbeifahrenden Lastwagen die Stille draußen im wirklich unberührten Busch, wo sich das Lager befand, noch zu vergrößern. Andernfalls wäre diese Stille nach einer Weile wohl nicht mehr aufgefallen. Aber indem sie sie betonten, wurde man sich der Gegenwart des bedrohlichen Schweigens erst richtig bewußt.

Der Landrover des Lagers war gerade unterwegs, um draußen im Park Wild aufzuspüren, das leichter im Morgengrauen und in der Abenddämmerung zu finden war, wenn die Tiere die wenigen Wasserlöcher der Umgebung aufsuchten. Unter ausgedörrten Bäumen ohne Laub parkten eine Anzahl Peugeots, ein weiterer VW und ein Mercedes – abseits der weit entfernt voneinander stehenden grünen Zelte, zu denen ein mit einem weißen Lendenschurz bekleideter Boy, der vielleicht dreißig Jahre alt sein mochte, über die karge braune Erde Segeltucheimer voll Wasser trug.

Es gab keine Grenzlinie zwischen Lager und Park. Was das betraf, so gab es nicht einmal das Anzeichen eines ›Parks‹. Es gab nur eine flache Ebene abgenutzter Erde mit einigen winzigen schwarzen Flecken, die sich in der Ferne bewegten, und jenseits davon einen langen niedrigen Gürtel aus Bäumen, und hinter den Bäumen Berge, wo Feuersicheln totes Stroh verbrannten. Über einigen Gegenden hingen dicke Rauchwolken, obwohl es in Anbetracht des kargen Bodens ein Wunder war, daß dort überhaupt etwas brannte. Aus dieser unfruchtbaren Leere floß das Schweigen, die immerwährende Stille, in der sich vermutlich geheime kleine Gewaltakte ereigneten: die Bisse von Fliegen, das Brechen von Gazellenhälsen unter klauenbewehrten Pranken . . .

Die Gattin des Jägers war eine Deutsche: eine stattliche Frau mittleren Alters in einem aufgebauschten Baumwollkleid. Sie saß unter der größten Markise und schrieb eine Einkaufsliste.

Sie bot Harry und Helen kühles deutsches Importbier an, auch wenn sie danach lieber den Boy im weißen Lendenschurz aufforderte, die Flaschen aus dem Paraffinkühlschrank neben ihr zu holen und zu öffnen.

Ein paar Minuten lang sprach die deutsche Frau über Lushoto, zweihundert Meilen im Norden, wo es genau wie im österreichischen Tirol sei, mit Kühen, die auf grasigen Niederungen und kühlen tannenbewachsenen Hängen klingende Glocken an den Hälsen trügen, und wo einige alte Afrikaner nur Kisuaheli oder Deutsch sprächen, aber kein Englisch. Sie schwelgte traurig in Erinnerungen an Deutsch-Westafrika, obwohl sie diese Zeit nicht persönlich erlebt haben konnte, und an Kuhglocken an nebligen Morgenden und blickte, während sie das tat, über die flache trockene Ebene dahin, die ausgedörrten Bäume, die brennenden Berge. Dann, als sie Harry und Helen ausreichend mit ihrer Meinung versorgt hatte, vertiefte sie sich wieder in ihre Einkaufsliste.

»Vielleicht ist Gulzar auf Hochzeitsreise nach Lushoto gegangen«, spekulierte Helen.

»Wozu denn, um Himmels willen?«

»Vielleicht verbringen sie ja auch die ganze Zeit in dieser Sperrholzzelle zwischen dem Flitterkram und essen Zuckerstangen!«

Ein in Shorts gekleideter Asiate mittleren Alters betrat das Zelt und wollte ebenfalls ein Bier; sie hatten vor einiger Zeit einen anderen Wagen kommen hören.

»Ach, schon wieder zurück, Mr. Desai?« seufzte die Deutsche.

»Sie sagen es«, erwiderte er freundlich und setzte sich gegenüber von Harry in einen Leinwandsessel. Als er sich niederließ, quoll ein grauer Hoden aus seinen Shorts und fläzte sich im Schatten gegen einen braunen Oberschenkel. Irgendwie sah er wie ein ausgesprochen müder Hoden aus.

»Ich komme jedes Wochenende hierher«, erzählte er Harry und Helen, »um zu fotografieren.« Seine Augen glänzten und zuckten von einer Seite zur anderen. Er hatte große Hände mit hervorstehenden Venen; eine geschwollene Vene verlief außerdem quer über seiner Stirn, an der sich das Haar lichtete. »Am liebsten möchte ich Leoparden fotografieren. Die anderen habe ich alle schon. Elefanten und Nashörner und Büffel. Löwen: ich habe Löwen beim Paaren erwischt. Ich würde Ihnen diese Bilder gern zeigen. Aber Leoparden hätte ich am liebsten. Man sieht Leoparden nachts im Scheinwerferlicht, nur laufen sie so schnell weg, daß man nicht genug Zeit hat, eine Aufnahme zu machen. Trinken Sie ein Bier mit mir, eh? Es ist noch lange hin bis zum Abendessen. Na los – geben Sie Ihrem Herzen einen Stoß! Ich komme so oft hierher, daß es schon fast meine zweite Heimat geworden ist. Stimmt's, Mrs. Boll?«

Beim Klang ihres Namens blickte die Deutsche von ihrer Liste auf und starrte den Asiaten unsicher an, als würde sie ihn im rasch schwächer werdenden Tageslicht nicht erkennen.

»Ich sagte, ich komme so oft hierher, daß es schon fast meine zweite Heimat geworden ist, Mrs. Boll.«

»Mr. Desai ist sehr begeistert vom Leben in der Wildnis«, sagte Mrs. Boll mit gelangweilter Stimme.

Da ein halber Liter deutschen Biers hier draußen im Busch fünf Schilling fünfzig kostete, akzeptierte Harry das Angebot.

Beim raschen Einbruch der Dunkelheit hatte sich Desais verirrter Hoden in die Finsternis zurückgezogen. Paraffinlampen wurden vom Boy entzündet und zischelnd aufgehängt. Wenigstens hatte sich die Welt noch nicht um den Lichtkreis des Lagers geschlossen. Die Feuer an den Berghängen leuchteten heller. Ein Halbmond hing dunstig in der Rauchwolke, die von den Buschfeuern aufstieg, geformt wie eine unfertige gelbe Schüssel, deren flacher Rand parallel zu den Bergspitzen verlief.

»Ich bringe immer meine ganze Familie mit«, sagte Desai. »Meine Frau und meine Kinder, und diesmal auch meinen Onkel und dessen

Frau. Wir bringen unser eigenes Essen mit und erwärmen es im Zelt. Ich mag die deutsche Küche nicht. Haben Sie schon irgendwelche Wildtiere gesehen?«

»Nur ein verkrüppeltes Elefantenbaby und einen Bullen«, sagte Helen.

»Und eine Giraffe«, fügte Harry hinzu.

»Eine getarnte Giraffe. Wie viele Kinder haben Sie, Mr. Desai?«

»Vier Kinder. Im Alter von sechs, sieben, acht und zehn Jahren. Ein Junge und drei Mädchen«, rasselte er herunter. »Sie müssen sie kennenlernen. Es sind hübsche Kinder. Meine Frau würde sich sicher freuen, wenn Sie sie kennenlernten.«

Sie schwatzten eine Weile miteinander. Harry sagte, daß er für das Finanzamt arbeitete, und sie scherzten – da Desai erwiderte, er sei Importeur –, daß Mr. Desai wahrscheinlich besser über Finanzen Bescheid wüßte als er.

Und wie Mr. und Mrs. Sharp Afrika denn gefiele? erkundigte sich der Asiate. Die Antwort darauf konnte nur begeistert ausfallen – obwohl Desai selbst die Afrikaner geringschätzte, ausgenommen das freie Leben . . .

Als Desai Harry und Helen einlud, das Curry mit ihm und seiner Familie zu teilen, hatte Harry nichts dagegen. Harry wollte diese Bilder sehen, auf denen die Löwen es miteinander trieben. Helen wollte Desais hübsche Kinder sehen und seine Frau kennenlernen. Außerdem lag es nicht in ihrem wirtschaftlichen Interesse, das Abendessen der deutschen Frau zu zehn Schilling pro Kopf zu essen; sie hatten Sandwiches und gekochte Eier dabei.

Was Harry in Desais Zelt sofort am nachhaltigsten auffiel, war der Geruch. Es war kein *übler* Geruch, kein Gestank, oh nein. Es war ein berauschender, sinnenbetörender Duft, gebildet aus Curry und etwas, von dem Harry annahm, daß es sich um kürzlich verbrannte Räucherstäbchen handelte.

»Verbrennen Sie Räucherwerk?« fragte Harry.

Desai ließ ein kurzes Lächeln aufblitzen. »Später, ich erzähl's Ihnen später.«

Die vier Kinder starrten ihre Besucher mit großen runden schwarzen Augen an und blieben stumm. Die Mädchen trugen dünne Baumwollhöschen, die keinen Zweifel daran ließen, daß sie bald zu Bett gehen würden. Ihre mahagonifarbenen Beine waren dürr wie

Stecken; schmuddelige Bänder hielten ihre langen schwarzen Pferde-
schwänze zusammen. Der Junge, der der älteste von ihnen war, trug
weiße Shorts. Er hatte die gleichen dürren braunen Beine und das
gleiche fettige schwarze Haar wie die Mädchen.

Die zwei Frauen in dem Zelt begrüßten Harry und Helen mit einem
Lächeln, das bald wieder erstarb. Desais Gattin wirkte überraschend
jung, klein und schlank. Desais Tante hingegen war eine dicke, ernst
dreinblickende Frau um die Fünfzig. Ihr großer dürrer Ehemann
stellte Harry ein paar Fragen und saß dann nur noch herum. Kaum
hatte die Frau den Reis und das Curry auszuteilen begonnen, fingen
die Kinder an, auf kutchisch miteinander zu schwatzen.

Als Desai sich Harry und Helen gegenüber aufs Bett setzte, um sein
Curry zu essen, lugte sein widerspenstiger Hoden wieder hervor.

Nach dem Abendessen wurden die vier Kinder feierlich in den
hinteren Teil des Zeltes zu Bett geschickt. Desai holte ein Kästchen mit
Farbdias hervor, die er Harry reichte. Die einzige Möglichkeit, sich die
Dias anzusehen, bestand darin, sie gegen das Licht der Paraffinlampe
zu halten; dabei waren die Bilder kaum mehr als trübe Flecke.
Außerdem fühlte Harry sich ein wenig benommen und ließ mehrere
Plastikrähmchen mit etwas, das kopulierende Löwen sein mochten,
fallen. Während er und Helen ihr Bestes taten, sie zu erkennen,
stopften Desai und sein Onkel sich große dreieckige Lagen mattgrüner
Blätter in den Mund, wahre Stöße von Blättern, so groß, wie ein Mund
sie gerade noch fassen konnte, um genug Platz zum Kauen zu lassen.

»Betel«, erkärte Desai. »Möchten Sie welches? Haha, enorm
scharf! Nur wir Inder können es essen.« Aber er bot ihnen keinen an,
um ihren Mut auf die Probe zu stellen. »Wie gefallen Ihnen meine
Aufnahmen, eh? Ja, sind nicht schlecht, aber ich brauche jetzt einen
Leoparden. Heute nacht hole ich den Peugeot raus und suche nach
einem. Ich werde ihn mit meinem Scheinwerferlicht blenden und ihn
und seine angstvoll geweiteten Augen fotografieren . . . Nein, Sie
können keinen Betel essen, meine Freunde, aber ich sage Ihnen was:
Sie können etwas Bhang mit uns rauchen.«*

Also war es indischer Hanf, Marihuana, und nicht indisches Räucherwerk, das den das Zelt erfüllenden Geruch hervorrief . . .

---

* Die Betelnuß ist eine in Ostindien, Indonesien, Melanesien und Mikronesien verbreitete Frucht, die an der Betelpalme wächst und stimulierende Wirkung hat. Bhang ist die
arabische Bezeichnung für Haschisch. – *Der Übers.*

Desai schraubte eine Filmkassette auf und bot der Runde die trockenen selbstgedrehten Zigaretten an, die sie enthielt.

Nach einer Weile schaltete Desai ein tragbares Radio ein. Die Neun-Uhr-Nachrichten begannen gerade, doch Harry machte es Schwierigkeiten, den Sätzen des Ansagers zu folgen. Jedes einzelne Wort löste ein Cartoonbild in ihm aus: ein Bild, das karikierte, was das Wort suggerierte, mit einer Sprechblase darüber, die das Wort selbst in ausgeschriebener Form enthielt. Diese parodistische Vision wurde auf die Zeltwand projiziert wie auf eine Leinwand. Die Cartoonbilder lösten einander so schnell ab, daß er nicht ein einziges davon richtig in Erinnerung behalten konnte.

Das ist also die wahre Qualität meiner Imagination, dachte er. Ein Bilderstreifen, ein possenhaftes Holterdiepolter. Eine Zeitlang schien das eine profunde und erschütternde Erkenntnis zu sein.

Es war, als hätte man ihn darauf hypnotisiert, nicht die ganze Botschaft zu verstehen – und doch konnte er in einem anderen Teil seines Kopfes die Nachrichten ausgezeichnet verfolgen. Eine Frage der Aufmerksamkeit also! Es fiel ihm schwer, die Aufmerksamkeit aufrechtzuerhalten. Die Paraffinlampe zischelte hell vor sich hin. Er bekam eine Erektion beim Anblick von Desais Töchtern, die in ihren dünnen Höschen auf den im hinteren Teil aufgestellten Feldbetten lagen; die darauf und nicht darin lagen, weil es zu heiß war. Ein Wald brauner zahnstocherdünner Arme und Beine zog seine Blicke magisch an, obwohl er nicht hinzuschauen versuchte.

Die Nachrichten schienen ungewöhnlich lange zu dauern. Was geschah in der Welt? Die Nachrichten mußten lebenswichtig sein, wenn man dafür sorgte, daß sie zu ihrem eigenen Besten den ganzen Weg bis ins Zentrum von Nirgendwo ausgestrahlt wurden. Harry stellte sich vor, wie die Radiowellen unterwegs ein grasendes Nashorn durchdrangen und Cartoonbilder wie Röntgenstrahlen auf seinen Schnauf-Prust-Lungen abdruckten . . .

Wenn er doch einfach nur wie Desai dasitzen und glücklich vor sich hinstarren könnte, ein Götze zwischen seinem Räucherwerk, sich an der eigenen Verwirrung berauschend! Harry erfuhr ebensowenig Visionen der Wahrheit, wie Desais Dias kopulierender Löwen mehr waren als verschwommene Flecken . . .

»Ein Leopard«, verkündete Desai, als würde er Harrys Gedanken lesen. »Gehen wir jetzt einen Leoparden suchen. Es wird Zeit.« Er erhob sich.

»Aber Sie können doch nicht im Dunkeln herumfahren, wo Sie gerade erst . . .« Helen beendete den Satz nicht, verstrickt in das Labyrinth ihrer eigenen Worte.

»Bei mir sind Sie sicher, Madam. Sie sagten, wir würden gehen und einen Leoparden suchen. So war es vereinbart. Wollen Sie einen Rückzieher machen? Das würde mich verärgern.«

»Gehen wir nicht«, wisperte Helen.

Harry sah den Sinn ihrer Vorsicht ein, aber andererseits gab es einen einfachen Weg aus dem Dilemma heraus. Es war Nacht; ihr eigenes Zelt stand nicht weit entfernt.

»Wir gehen erst noch in unser Zelt«, sagte Harry zu Desai. Er sprach auf eine Weise, die keinen Zweifel zuließ. »Und wenn wir dort sind«, murmelte er Helen zu, »sehen wir weiter . . .«

Harry half seiner Frau auf. »Besten Dank für das Essen!« rief er den beiden asiatischen Frauen zu. Desais Gattin und seine Tante lächelten und nickten ihnen aus dem hinteren Teil des Zeltes, in den sich beide zurückgezogen hatten, zu.

»Kommt Ihr Onkel nicht mit?« fragte Harry.

Der hagere Mann machte eine verneinende Geste und breitete seine Hände flach auf dem Bett aus, zwei Äste mit grauen Venen.

Draußen war es rabenschwarz. Der Mond war vom Himmel verschwunden. Die Feuer in den Bergen waren entweder nähergerückt, oder es hatten sich neue Feuer auf der Ebene entfacht, obwohl dies die Dunkelheit kein bißchen weniger dunkel machte. Irgendwo in der Nacht wurden Trommeln geschlagen. Oder war es vielleicht der Schlag von Harrys eigenem Herzen?

Helen war sehr zurückhaltend damit, Harry in die schwarzen Abgründe des Peugeots zu folgen.

»Was hat die englische Lady denn?« erkundigte sich Desai. »Ihr Gentleman ist schon im Wagen!«

»Wir würden lieber zu Fuß gehen, danke.«

»Sie machen Witze! Was ist mit den wilden Tieren?«

»Ich bin sicher, sie kommen nicht ins Lager.«

»Sie kommen nicht ins Lager! Vorigen Monat ging eine Frau wie Sie mitten in der Nacht zur Toilette und begegnete einem Löwen. Mein

Freund, der deutsche Jäger, mußte ihn mit seiner Knallerei vertreiben. Also beleidigen Sie mich nicht.«

»Wir würden lieber zu Fuß gehen, um wieder einen klaren Kopf zu bekommen. Es war so stickig . . .«

»Was soll das heißen, *stickig*?«

»Harry, sei so gut und komm aus dem Wagen. Laß uns zu Fuß gehen.«

»Helen, *bitte*«, ertönte die Stimme ihres Mannes. »Wir fahren in diesem Wagen doch nur bis zu unserem Zelt, verstehst du denn nicht?«

»Verdammte närrische Frau, sie macht mich wütend«, fluchte Desai. »Was soll das heißen, stickig? Ihr Engländer kommt in unsere Häuser, und wenn es euch langweilt, uns anzustarren . . . Aber es wird euch nicht langweilen. Wir gehen auf Leopardenjagd!«

»Steig ein, hörst du!« zischte Harry vom Vordersitz.

Helen stieg ein und kletterte nach hinten.

Kaum hatte Desai den Motor angelassen, beugte er sich zurück und verriegelte Helens Tür. Während sie sich noch damit abmühte, sie wieder zu entriegeln, und vergeblich im Dunkeln nach der Sicherung tastete, fuhr der Peugeot schon heftig ruckend an. Auf der Fahrt zu ihrem Zelt – auf das sie tatsächlich zuhielten, wie sie erleichtert feststellte –, stemmte Desai sich abwechselnd aufs Gaspedal und bremste abrupt, wobei er ihr etwas von ›Seitenwind‹ über die Schulter zurief. Helen konnte nichts dergleichen bemerken und stieß sich, als sie es versuchte, den Kopf am Fenster. Eine Beule an der Stirn und die wippende Bewegung ihres Körpers, als der Wagen abgebremst wurde und vorwärtssprang und wieder abgebremst wurde, hielt sie davon ab, das Rätsel des Riegels zu lösen.

»Haben Sie je mit einem Eingeborenenmädchen geschlafen, Mister Harry?« erkundigte sich Desai im Plauderton. »Nein, natürlich nicht. Sie sind Dreck. Wir Asiaten mögen weiße Haut. Törichte Europäer, liegen am Strand und lassen sich schwarz brennen!«

Inzwischen zeichnete sich ihr eigener VW im Scheinwerferlicht ab; und gleich daneben stand das Zelt. Diesmal bremste Desai, als hätte sich ein Abgrund vor seinem Peugeot aufgetan. Zur Seite langend, klappte er die Beifahrertür auf und schmiß Harry regelrecht hinaus. Bevor Helen recht wußte, wie ihr geschah, raste der Peugeot schon wieder davon und warf sie in die Polsterung zurück. Die offene Tür, neben der Harry gesessen hatte, schwang heftig hin und her, als Desai den Wagen durch den spärlichen Busch jagte und wie ein Wahnsinniger am Steuer herumkurbelte, um Bäumen und Termitenhügeln auszuweichen.

»Jetzt werden Sie sich bestimmt nicht mehr langweilen, Madam!« Der Fahrer lachte. »Dies ist Desais kleiner Scherz.«

»Ich will augenblicklich zurück«, schrie sie wütend. Sie versuchte die Panikreaktion ihres Körpers zu unterdrücken, nicht wissend, wie weit Desai seinen Scherz treiben würde; und ob er sie nicht einfach in einem großen Kreis zu ihrem Zelt zurückfahren wollte, um ihr ein für allemal beizubringen, künftig keinen Narren mehr aus sich zu machen.

»Bringen Sie mich sofort zurück«, sagte sie ernst.

»Bald, bald, Madam. Nur keine Panik.«

Die Kegel des Scheinwerferlichts stießen gegen Termitenhügel, dicke Bleistifte aus härtestem Stein; sie strichen über gehörnte Rinderschädel, über verbrannte Baumstümpfe – von denen Desai wie durch ein Wunder keinen traf. Vielleicht war er ja schon oft so gefahren und hatte Übung darin? Wenn sie den Türriegel öffnete und hinaussprang, würde sie sich wahrscheinlich ein Bein brechen.

»Erst gehen wir auf Leopardensuche. Dann bringe ich Sie zu Ihrem feinen Gatten zurück, Madam.«

Vor ihnen brannte es. Eine lodernde Wand roter Flammen. Die Flammen schlugen nicht sehr hoch, und sie bewegten sich auch nicht sehr schnell, obwohl ein plötzlicher Windstoß sie jederzeit lospreschen lassen konnte. Dann würden sie wie eine Meute Athleten in roten T-Shirts durch den Busch rasen. Das Feuer wand sich in einer Schlangenlinie dahin, weidete das Stroh ab, ließ eine rauchende schwarze Wüste zurück. So eine lange Feuerlinie! Desai steuerte absichtlich dicht an die Flammen heran, als wollte er sie dazu auffordern, seine Reifen zu versengen. Die verrückten Kiefer der Flammen knisterten hörbar, während sie das Land fraßen.

Abrupt griff Helen über Desais Schulter nach dem Lenkrad, obwohl sie nicht hätte sagen können, welcher Sinn darin liegen mochte, es festzuhalten oder nach rechts oder links zu drehen. Desai packte ihre Handgelenke mit einer großen braunen Hand. Während er mit der freien Hand unsicher steuerte, zog er Helen über den Sitz, auf dem Harry gesessen hatte, nach vorn.

»Rühren Sie mich nicht an!« schrie sie.

Desai lachte ihr ins Gesicht. »Ich weiß! Ich weiß, was Sie denken.«

»Das denke ich nicht! Bringen Sie mich zurück!«

»Was denken Sie nicht, Madam? Ah, *stickig* bedeutet schmutzig, nicht wahr, so was Ähnliches wie schmutzig?«

»Keineswegs. Sie irren sich.«

»Wenn Sie es sagen. Aber jetzt schauen wir uns erst mal nach einem Leoparden um, ja?« Er ließ sie los, und sie zog sich zurück. »Das ist alles, was ich Ihnen zeigen will, dann machen wir kehrt und liefern Sie wohlbehalten wieder bei Ihrem Gatten ab, eh?«

Während dieses Wortwechsels hatte Desai den Wagen frei laufen lassen. Plötzlich war das Feuer direkt vor ihnen: ein schmales Blumenbeet, mit roten Rosen bepflanzt, die sich nach rechts und links wanden. Statt zu bremsen oder den Versuch zu machen, auszuweichen, gab Desai Gas.

»Jetzt sitzen Sie still, oder Sie werden auf kleiner Flamme geröstet!«

Desai fuhr den Wagen geradewegs durch das Feuer und bremste im Windschatten der Flammen scharf ab. Nun war die Strecke zurück zum Lager von einer niedrigen Flammenwand blockiert, von der nur eine ausgesprochen dumme Person hoffen konnte, sie in einem leichten Baumwollkleid zu überspringen. Desai schaltete den Motor aus, ließ die Scheinwerfer jedoch brennen. Er steckte die Schlüssel in die Tasche, sprang hinaus und ging einmal um den Peugeot herum, um ihn zu inspizieren. Er streckte die Hand zu der immer noch rauchenden Erde aus, um festzustellen, wie heiß sie war. Zufrieden schob er seinen Kopf durch das Fahrerfenster. Helen hatte sich auf dem Rücksitz des Wagens zusammengekauert.

»So ein Narr bin ich nicht, Madam Helen. Ich glaube nicht einmal, daß ich Sie *berühren* werde. Selbst mein Freund, der Deutsche, würde sich aufregen, wenn ich so etwas Närrisches täte. Aber hier, mit dem Feuer überall, werden wir wohl keinen Leoparden zu sehen bekommen, also werde ich gerade mal ein paar Aufnahmen von Ihnen machen, bevor wir zu Ihrem Gatten zurückfahren. Nackt, eh? Ich mache ein Foto von Ihnen im unbekleideten Zustand, dann bringe ich Sie zurück. Aber vorher nicht.«

»Wenn Sie das vorhaben, können wir noch bis Morgen hier herumsitzen.«

»Nein, das habe ich nicht vor, Madam. Was ich vorhabe, ist, Sie zu Fuß zurücklaufen zu lassen, wenn Sie nicht für ein Foto posieren. An einem Bild ist nichts Schlimmes, Madam Helen.«

»Hören Sie auf, mich bei diesem dummen Namen zu nennen!«

»Niemand weiß etwas von diesen Bildern außer Ihnen und mir, Madam Helen. Und ich werde Ihnen sagen, was mir gefällt. Warum schlagen Sie mich nicht ins Gesicht? Ah, weil Sie mich dann berühren müßten. Und ich könnte *Sie* berühren.«

»Ich werde das der Polizei melden. Ganz sicher werde ich das!«

»Haben Sie schon einmal versucht, so etwas der Polizei zu melden? Sie hat eine merkwürdige Art, die Dinge zu sehen. Möglicherweise sieht sie gar kein Verbrechen hierin, könnte aber denken, daß es für einen Regierungsangestellten wie Ihren Gatten sehr wohl ein Verbrechen ist, Bhang zu rauchen, wo er doch eigentlich das Budget aufstellen sollte. Das ist die Art, wie ihre Gehirne arbeiten. Sie haben vierundzwanzig Stunden! Packen Sie Ihre Sachen und hauen Sie ab! Nehmen Sie mein Wort darauf, die Polizei hat einen recht unkomplizierten Verstand.«

Und Desai zündete sich eine Zigarette an. Er paffte sie durch trichterförmig gefaßte Hände. Seine Lippen berührten die Zigarette nicht; sie berührten nur seine braune fleckige Hand. Die Zigarette rechtwinklig vom Mund forthaltend, sog er dabei wie ein Zauberkünstler den Rauch aus seiner Faust . . .

Desai betrachtete Helen im Licht der Scheinwerfer. Obwohl er darauf bestanden hatte, daß sie ihre weißen Socken zusammen mit allem anderen auszog, hatte er es zugelassen, daß sie wieder in ihre Sandalen stieg. Immerhin waren ihre Fußsohlen nicht die einer afrikanischen Frau! Es waren keine mit Hornhaut bedeckten Ballen, unempfindlich gegen Dornen; und schließlich brauchte er Helen nicht zu verletzen, nicht körperlich.

Er musterte sie, nackt in der heißen verbrannten Nacht, durch den Sucher. Ein kastanienbrauner Haarschopf, kurzgeschnitten, umgab ein ovales Gesicht mit erschreckten, verschämten Augen. Wimperntusche umrandete wie braune Tränen die Lider. Ihre Nase war schmal, ihr Kinn besaß ein kindliches Grübchen. Sie rasierte ihre Achselhöhlen, aber nicht ihren Schritt. Ihr Fleisch war gelbbraun von Strandbesuchen, obwohl dank eines Bikinis albinofarbene Streifen über ihren Busen und ihre Lenden liefen; das ließ ihre Brüste größer und fast formlos erscheinen, als sprössen sie einfach aus dem Oberkörper heraus . . .

Er krauste die Stirn. »Nicht dort! Weg vom Wagen! Näher zum Feuer. Ich habe Blitzlichter.«

»Haben Sie?«

Er winkte ihr ungeduldig; und verlegen trottete sie auf die knisternde Linie der Flammen zu. Merkwürdig, dachte er, wie unbeholfen ihr Gang wurde, wenn sie auf das nackte Sein reduziert war.

»Sie gehen nicht sehr graziös, Madam!«

»Nein? Was für ein Jammer.«

»Sie könnten wohl nicht ein Bündel Brennholz auf dem Kopf tragen. Ach, vergessen Sie's! Bleiben Sie stehen. Berühren Sie ihre Zehen und werfen Sie dann Ihre Arme geradewegs in die Luft, hoch und weit.«

»Ich sagte nicht, daß ich Kunststücke vorführe.«

»Oh, kommen Sie schon, Madam. Ich möchte gute Fotos haben!«

Das erste Blitzlicht zuckte auf, blendete Helen mit weißer Helligkeit. Danach ein zweites und drittes. Der Glanz störte sie. Glühende Nachbilder sprangen umher.

Auf einmal zerriß unmittelbar vor ihr ein Schrei die Stille. Eine berstende, knurrende Gewalttat! Anschließend ein weiterer durchdringender, betäubender Todesschrei, der wie Meeresgischt im Sand versickerte. Sie taumelte, obwohl nichts mit Ausnahme des Geräusches sie berührt hatte.

Durch die verblassenden Nebel explodierender Sterne, die schwach hinter den Flammen und dem Glanz der Autoscheinwerfer zu erkennen waren, sah Helen Desais Körper zermalmt und zerrissen auf dem schwarzen Erdboden liegen – und auf ihm eine große gefleckte Katze, die ihren Kopf von einer Seite zur anderen schwang und ihren Schwanz wie ein Seil drosch. Unmöglich! Unmöglich! Kein wildes Tier würde jemals in Richtung der Flammen und des Blitzlichts stürmen!

Sie erstarrte. Sie blinzelte wie toll, um besser sehen zu können.

Ein Mann richtete sich von dem Leichnam auf: ein afrikanischer Mann, gekleidet in zerlumpte Hosen und ein Hemd, so zerrissen, daß es zur Weste geworden war. Sie dachte, daß die Füße des Mannes mit einer dicken Kruste aus Ruß und Zinder überzogen waren, bis sie bemerkte, daß er Sandalen trug, die aus alten Autoreifen geschnitten waren. Der rechte Arm des Mannes hing herunter, als umklammere er mit der Hand eine Panga, aber tatsächlich hielt er nichts; gewiß kein langes bluttriefendes Schwert. Doch Desais Körper sah übel zugerichtet aus.

Der Mann näherte sich ihr. Sie bedeckte ihren Schritt mit beiden Händen, so zwanglos sie konnte. Er kam geradewegs auf sie zu. Sie roch süßen kräftigen Körpergeruch. Seine Augen waren voll milchiger Netze, wie Risse eines in zu heißem Wasser gekochten Eies.

»Wer sind Sie?« Ihre Stimme klang verzagt. *»U nani?«*

»Wir sind uns schon früher einmal begegnet, *Memsahib*. Ich bin *chui,* der Leopard.«

»Was?« keuchte sie.

»*Hapo zamani palikuwa na mtu, Memsahib . . .«* Es war die traditionale Art, ein Märchen zu beginnen. Er fuhr auf Englisch fort. »Vor langer Zeit gab es einmal einen Mann, der auf einer Straße von einem Mann umgefahren wurde, der nicht hielt. So lag ich denn dort, verletzt, und ein Leopard fand mich. Und fraß mich auf. So wurde ich selbst zum Leoparden. Nun kann mich niemand mehr fangen, wenn ich laufe. Doch ich war immer gut im Laufen, *Memsahib*. Ich gewann sehr oft die Rikscharennen.«

»Rikscharennen?«

»Oh ja. In den alten Tagen, die gar nicht lange her sind, pflegten die weißen *Bwanas* sich zu betrinken, und wenn sie betrunken waren, strömten sie aus der Bar des New Africa Hotel, um das Große Rikscharennen zu organisieren – den ganzen Weg vom New Africa die Hafenfront entlang zur Eisenbahnstation und wieder zurück. Der Eingeborene, der den meisten Elan hatte und am schnellsten rannte, gewann fünf Schillinge – ein kleines Vermögen!«

»Oh mein Gott . . . Das ist Wahnsinn.«

»Wahnsinn? Nicht ganz. Wahnsinn ist, wenn jemandes Seele in einem Käfig gefangen ist. Der Mann war dabei, Ihre Seele einzufangen.«

»Indem er mich fotografierte? Nein, das ist Unsinn. Warum denn, selbst die Masai haben nichts dagegen, sich für ein oder zwei Schillinge fotografieren zu lassen. Es macht Ihnen nichts aus.«

»Doch! Mit dem Bild Ihrer Nacktheit in seiner Sammlung hätte er sie für immer besessen.«

»Vielleicht eine kleine Weile . . . bis ich das Land verlassen hätte.«

»Für immer! Er hätte Sie ständig hämisch betrachtet, Sie seinen Freunden gezeigt. Sie hätten gespürt, daß es Ihre Seele berührt, in England oder Amerika.«

»Was sind Sie? Ein Mensch?«

»Ich sagte es schon, ich bin ein *chui*.«

»Und es waren wirklich Sie, der die Straße entlanglief, als wir vorbeifuhren? Sie müssen es gewesen sein – woher hätten Sie es sonst wissen sollen? Aber wir hielten nicht an. Weshalb haben Sie also . . .?

»Weshalb ich diesen Mann für Sie getötet habe?«

»Das ist unverhältnismäßig. Er hat eine Familie. Es ist schrecklich. Ist er wirklich tot?«

»Seine Venen und Nerven sind von meinen furchtbaren Klauen zerrissen. Seine Kehle ist durchgebissen. Auf diese Weise, *Memsahib,* habe *ich* Ihre Seele gefangen, nicht er. Wohin immer Sie in der Welt gehen werden, ich kann Sie finden.«

»Und alles nur, weil wir nicht anhielten. Auch das ist unverhältnismäßig.«

»Es war ein Zeichen für mich, genau wie eine Million anderer Dinge.«

»*Wenn* wir gehalten hätten . . .«

»Ah, aber Sie haben es nicht! Sie würden nie anhalten wollen. Doch Sie wollten, daß das Herz dieses Mannes anhalten möge und er tot umfiele. Alles, um Ihre Scham zu bewahren. Ihr Weiß ist fleckenlos rein. Weiß wie die Exkremente kranker Hunde.«

»Was wollen Sie? Was soll ich tun?«

»Säubern Sie sich. Sie sind unsauber. Sie haben sich benäßt. Ihr Urin ist Ihre Beine hinuntergelaufen.«

Helen erkannte, daß es stimmte. »Sie sind *schlimmer* als er«, rief sie. »Viel viel schlimmer.«

Er lachte. »Warum sind Sie nur jemals in dieses Land gekommen? Das ist es doch, was Sie jetzt denken. Und ich sage Ihnen: ja, warum?«

»Um zu helfen. Ich kam, um zu helfen.«

»Nein. Sie kamen, um zu *benutzen*. Sie benutzen so viele Dinge: Autos, Kühlschränke, Elektrizität, Öl, Straßen, Gin, Whisky. Sie brauchen das alles. Und Sie benutzen so viele Menschen. Indem Sie hierherkommen, benutzen Sie Afrika. Dann kehren sie mit ihrer Beute wieder nach Hause zurück: den Bildern, den Schnitzarbeiten, den Zebrahauttrommeln, dem Bonus und den glücklichen Erinnerungen an Diener. Und Sie binden uns noch an Sie mit Ihren Dingen: Ihrer gebrauchten Kleidung, Ihrem gebrauchten Geld, Ihrem Abfall.« Er beugte sich weiter vor. »Eines Tages, *Memsahib,* werden alle Ihre Dinge *verbrennen,* genau wie das Gras hier verbrennt. Aber nichts Neues wird daraus entstehen. Ihr Land und Ihre Luft und Ihr Wasser werden vergiftet sein. Ich sehe es voraus! Sie werden eines Tages verbrannt sein, zusammen mit England und Amerika. Aber ich habe Ihre Seele gefangen. Also werden Sie hierher in den Mutterleib zurückkehren. Ich werde Sie wieder zum Leben erwecken, als kleines scheues Dik-Dik oder Zebrafohlen. Dann werde ich Sie jagen. Sie werden an nichts anderes mehr denken, als daran, daß ich Sie ständig jage, bis ich Sie erlegt habe – und aufesse. Dann wird Ihr Fleisch zurückzahlen, was Sie uns genommen haben. Warten Sie nur auf das Feuer, das kommt, *Memsahib*!«

Helen wurde ohnmächtig.

Als sie sich erhob, war der Afrikaner verschwunden. Ihr Körper war heiß und rußig vom ausgestreckten Herumliegen. Ihre Beine waren klebrig, wo sie sich benäßt hatte. Sie raffte sich auf. Die Scheinwerfer des Wagens brannten noch. Die Flammenwand hatte sich nicht sehr viel weiterbewegt. Desais Körper lag zerbrochen da, die Kamera dicht neben ihm.

Sie nahm ihren ganzen Mut zusammen, sprang auf ihn zu und packte die Kamera. Der Film im Inneren! Sie versuchte ihn herauszubekommen, aber die Kamera war ihr nicht vertraut. Außerdem bemerkte sie, daß sie überall schmierige Fingerabdrücke aus Asche hinterließ. Also lief sie zur Flammenwand zurück, trotzte der Hitze, soweit sie es riskieren konnte, und warf die Kamera hinein, wo sie verbrennen, zerschmelzen, verunstaltet würde. Dann ging sie zum Peugeot zurück, tastete nach ihrer Unterwäsche und ihrem Kleid und zog sich an.

Der Schlüssel steckte nicht im Zündschloß. Nein: er mußte in der Tasche des Toten sein. Sie zögerte. Sie hätte es nicht ertragen können, noch einmal umzukehren und ihn zu berühren. Wie auch immer, sie brauchte diesen Wagen ja nicht zu benutzen.

Sie schritt aufs Geratewohl durch die Nacht davon. Nach einer Weile hörte sie rechts von sich ein kehliges Grollen. Hastig wechselte sie die Richtung. Aber sie brauchte nicht zu rennen; sie brauchte nicht zu rennen.

Ein sanfteres Grollen kam von links . . . und korrigierte sie.

Während sie durch die Schwärze ging, begleitete sie das leise Tappen schleichender Pfoten.

Sie begriff nicht, weshalb es im Lager so dunkel und still war, als sie es erreichte. Dieser deutsche Jäger war doch bestimmt aufgebrochen, um sie zu suchen? Im Zelt der Asiaten müßte doch Licht brennen? *Harry* hatte doch sicher . . .

Sie bahnte sich einen Weg zu dem Zelt, neben dem sie den VW geparkt hatten.

Die Plane stand offen.

»Harry? Harry!«

»Häh?« Plötzlicher Tumult in der Dunkelheit im Inneren. Eine Taschenlampe blitzte auf und blendete sie. Rasch wurde sie auf die Paraffinlampe gerichtet, die Harry anzuzünden versuchte.

»Alles in Ordnung?« erkundigte er sich. »Helen, ist dir etwas passiert?«

»Was hast du getan?« wollte sie wissen. »Weshalb bist du nicht . . .?«

»Ich? Ich bin . . . umgekippt. Es war das Bhang.« Er sprach stockend und stöhnte leicht – als wollte er sie überzeugen, daß er wirklich groggy war.

»Du meinst, du bist schlafen gegangen?«

Er gestikulierte. »Ich bin immer noch angezogen. Schau, oder etwa nicht?«

»Also bist du angezogen schlafen gegangen.«

»Wenn ich dir nachgefahren wäre . . . na, ich wußte doch nicht einmal, welchen Weg er genommen hatte. Also habe ich gewartet. Und bin dabei umgekippt. Dir ist doch wohl nichts passiert, Liebes, oder?«

»Sehe ich aus, als wäre nichts passiert? Also hast du nicht mal den geringsten Versuch unternommen, dem Deutschen Bescheid zu geben, hmm!«

»Ich weiß nicht . . . ich habe . . .«

»Du hast gar nichts. Jedenfalls nicht für mich.«

»Ich dachte, ihr wärt beide in ein paar Minuten wieder zurück. Ich wollte doch nicht gleich so einen Wirbel darum machen. Schließlich stand ich unter *Drogen*.«

Sie lachte bitter. »Ich auch. Bin *ich* deswegen vielleicht schlafen gegangen?«

»Was ist passiert?« Harry starrte Helens verschmutzte Arme und Beine an. »Er hat doch nicht . . .? Wenn er das getan hat, bringe ich ihn . . .!«

»Desai ist tot.«

»Was?«

»Ein Leopard hat ihn getötet.«

»Oh Gott.«

Helen setzte sich auf ihr Bett. Harry wollte seinen Arm um sie legen, aber sie stieß ihn von sich. »Laß das! Rühr mich nicht an.«

»Bist du sicher, daß Desai dich nicht . . .?«

»*Er* hat gar nichts getan, du Narr! Nichts von Belang. Er ist bloß gestorben.«

»Sein Tod hat dich aufgeregt. Der Schock. Das ist nur natürlich.«

»*Natürlich*?« schnaubte sie. »Was ist natürlich?«

»Liebling, du bist in Sicherheit. Wir müssen uns . . .« Müssen was? Harry war sich keineswegs sicher. »Wir müssen uns zusammenreißen. Hast du es jemandem erzählt? Weiß sonst noch jemand davon?«

»Und wenn nicht, packen wir dann jetzt unsere Koffer und fahren mitten in der Nacht ab? Fahren, fahren! Wirst du denn niemals klüger?«

Wenigstens, dachte Harry, hat Helen das Reden nicht verlernt. Schließlich war es nicht seine Schuld, daß er umgekippt war.

»Nein, aber wir könnten sagen, daß Desai uns beide sicher zurückbrachte und dann allein weiterfuhr. Dann hätten wir nichts damit zu tun.«

Darauf Helen: »Ich glaube, ich habe meine Socken in seinem Wagen gelassen.«

»Du hast *was*? Warum hast du deine Socken ausgezogen?«

»Ich muß ganz schön scharf gewesen sein, was?«

»Das ist doch nicht dein Ernst!« Harrys Tonfall war jetzt anklagend.

»Tja, dann muß es wohl das Bhang gewesen sein. Wenn du willst, daß wir nichts damit zu tun bekommen, wirst du jetzt hingehen und meine Socken holen müssen, stimmt's?« Ja, dachte sie, die Polizei würde ihre Socken finden. Vielleicht aber auch nicht. Vielleicht würde niemand sich über ein Paar Socken wundern.

»Du meinst, jetzt dort hinausfahren, zu seinem Wagen? Du müß- test mir den Weg zeigen. Jemand könnte uns dabei beobachten, wie wir den Wagen starten und zu einem Nachtausflug aufbrechen.«

»Also wirst du zu Fuß gehen müssen – den gleichen Weg, den ich zurückgekommen bin. Wenigstens hast du eine Taschenlampe dabei.«

Harry schluckte. War das ein Liebestest? Eine Möglichkeit, sein Versagen wiedergutzumachen, die Tatsache, daß er eingeschlafen war?

»Ich kenne den Weg nicht, verdammt nochmal! Ich kann doch nicht die ganze Nacht über einfach so im Busch herumlaufen . . . Wie weit ist es?« Ihm fiel ein, daß Desais Wagen ganz in der Nähe stehen könnte.

»Ich habe keine Ahnung.«

»Das ist lächerlich. Unmöglich.«

»Nichts ist unmöglich«, sagte Helen. »Wenn ich eines weiß, dann das!« Sie ging zum Wasserkübel und wusch sich rasch die Ascheflok- ken von den Armen und Beinen. »Ich lege mich jetzt schlafen. Mach das mit dir selbst aus.« Sie wandte Harry den Rücken zu, zog sich aus, schlüpfte ins Feldbett und drehte ihr Gesicht zur Wand.

Harry grämte sich einige Minuten lang. Er drehte die Paraffinlampe niedriger.

»Schläfst du schon?« flüsterte er.

Keine Antwort. Helen lag reglos und stumm.

»Soll ich gehen?«

Keine Antwort.

Harry löschte das Licht ganz. Die Taschenlampe in der Hand, schob er die Lasche des Zeltes zur Seite und stand draußen in der Nacht, fühlte sich krank. »Oh verdammt, verdammt«, fluchte er leise. Wenigstens könnte er bis zum Toilettenzelt gehen . . .

Arrrgnn . . .

Ein leises Grollen in der Dunkelheit! Er ließ den Lichtstrahl aufblitzen und umherwandern. Zwei niedrigstehende Augen reflek- tierten einen Augenblick lang das Licht. Die Augen einer Bestie. Er konnte die Gestalt hinter den Augen nicht erkennen.

Er zog sich wieder in das Zelt zurück und verschloß die Lasche mit dem Reißverschluß. Dann legte er sich auf sein eigenes Bett und lauschte. Er stellte sich Klauen vor, die neben ihm die Leinwand zerrissen, und umfaßte die Taschenlampe. Schlag dem Leoparden auf die Nase, dachte er. Die Nasen sind empfindlich.

Etwas bewegte sich draußen. Etwas strich über die Zeltwand. Harry lag starr da und schwitzte kalt. Er lag lange so da, hellwach. Schließlich begann die Taschenlampenbatterie schwächer zu werden, und er fiel in einen unruhigen Schlaf.

»Es ist ‚hell!« schrie er und richtete sich kerzengerade auf. »Der Morgen graut!«

»Hmm?« Helen drehte sich um.

Er packte ihre Schulter. »Der Morgen graut, Liebes.«

Sie öffnete die Augen, konnte aber noch nichts genau erkennen. »Was?«

»Ich sagte, der Morgen graut.«

»Ich bin müde. Ich bleib im Bett.«

»Aber du kannst doch nicht . . . Wir haben Frau Boll versprochen, heute morgen mit dem Landrover einen Ausflug zu machen. Wenn wir nicht . . .«

‚»Ich gehe nicht. Stör mich nicht länger.«

Verzweifelt machte er sich daran, die Zeltlaschen zu öffnen. Wie könnte er Helen nur überzeugen – nein, *anflehen* –, sich normal zu verhalten?

Der afrikanische Morgen überfiel ihn: Licht, Luft, Leere, Weite, schwach dahintreibender Rauch, die Rufe namenloser Vögel. Kahle Berge, Bäume, Wolken.

Zu seinen Füßen direkt vor dem Zelt lag nebeneinander aufgereiht ein Paar weißer Socken.

Er bückte sich und hob sie auf. *Also hat sie sie doch wieder mitgebracht!* war sein erster Gedanke. *Dieses Luder, oh dieses verdammte Luder!*

Aber das paßte nicht ins Bild. Als er vorige Nacht mit der Taschenlampe hinausgegangen war, hatten dort keine Socken gelegen. Vielleicht war Desai gar nicht tot. Vielleicht hatte *er* ihre Socken zurückgebracht. Vielleicht war, was Harry befürchtete, wirklich geschehen!

Weshalb hätte ihm Helen dann aber die Lüge vorsetzen sollen, ein Leopard habe ihn getötet? Das ergab keinen Sinn – nicht den geringsten. Nur die Socken ergaben eine Art Sinn. Sie waren wenigstens greifbar. Sie lagen unmißverständlich hier in seiner Hand, wie ein Geschenk der Vorsehung. Er ging hinein, schüttelte Helen brüsk und ließ die Socken vor ihren Augen herabhängen.

»Ich habe sie«, sagte er. »Hier sind sie.«

Sie setzte sich kerzengrade auf, dann raffte sie das Laken an ihre Brust. »Du hast sie geholt? Wirklich?«

»Ich habe sie«, wiederholte er vorsichtig. »Das sind doch deine Socken?«

»Ja, das sind sie.«

»Dann ist ja alles wieder in Ordnung.«

»Ist es das? Glaubst du das wirklich?«

»Bitte mach dich jetzt fertig. Wir müssen zum Landrover. Und zum Frühstück wieder zurück sein. Wir müssen uns völlig normal verhalten.«

Helen zögerte. »Na schön. Geh auf Toilette oder so, während ich mich anziehe. Mach einen Spaziergang.«

Das tat er. Er schlenderte gemächlich zum Zelt des Asiaten hinüber, in dem es noch still war. Doch der afrikanische Boy war schon wach und ging seinen frühmorgendlichen Aufgaben nach.

Der deutsche Jäger, Herr Boll, sah wie einer von Rommels Wüstenkapitänen aus, wenn auch etwas gealtert; und vielleicht war er sogar einer gewesen. Er sprach das Englische mit jener unglaublichen Exaktheit, die gebürtige Sprecher des Englischen verschreckte und ihren eigenen gewohnten Sprachgebrauch im Vergleich dazu schlampig erscheinen ließ. Doch er führte kein Gewehr im Landrover mit, da er nur bei seltenen Gelegenheiten auf Jagd ging.

Außer Helen und Harry waren noch ein kanadischer Diplomat mit seiner Frau und zwei Italiener zu dem schilfreichen Wasserloch in einigen Meilen Entfernung unterwegs.

Sie trafen dort auf zahlreiche Warzenschweine und Giraffen; auf einige Weißschwanzgnus, einen einzelnen Elefanten und ein kleines Rudel Löwen.

Als sie sich wieder auf dem Rückweg befanden, bemerkte Helen Desais weißen Peugeot, der nicht weit entfernt einsam auf der Ebene stand.

Auch Boll bemerkte ihn. »Ich frage mich, was unser indischer Freund gefunden hat«, sagte er. »Wir sollten uns das mal ansehen.« Er lenkte den Landrover aus der Spur und fuhr landeinwärts.

»*Mein Gott*«, murmelte der Jäger wenige Minuten später. »Bitte bleiben Sie alle hier. Verlassen Sie auf keinen Fall das Fahrzeug.« Die letzten fünfzig Yards ging er zu Fuß.

»Es hat einen Unfall gegeben«, sagte er, als er zurückkam.

»Was ist los?« plapperte die Kanadierin und hob ihre Kamera.

»Ein Unfall. Bitte machen Sie keine Fotos.«

»Dort liegt ein Mann«, meinte einer der Italiener.

»Ja, ich weiß.« Boll legte den Gang ein und fuhr los; Staub wirbelte hinter ihnen auf.

»Ein Unfall«, sagte Harry leise zu Helen. »Ein *Unfall*.«

Er betonte das Wort. Es besagte schlicht und einfach, daß sie nichts, aber auch gar nichts damit zu tun haben konnten. Er spähte zu Helens Füßen hinunter. Sie trug immer noch dieselben Socken, die nicht sehr schmutzig aussahen. Harry versuchte sich einzureden, daß sie sie schon immer an den Füßen gehabt hatte, wohlverwahrt im Inneren ihrer Sandalen.

Später am Tag verließen Helen und Harry das Makumi-Lager, da sie es nur für eine Nacht gebucht hatten. Ein Landrover der Polizei war aus Morogoro eingetroffen, aber das hatte nichts mit ihnen zu tun. Wenn Desais Familie das Essen und die beabsichtigte Leopardenjagd erwähnte, so maßen sie dem offensichtlich keine große Bedeutung zu; und Harry hatte es vermieden, zum Zelt der Asiaten hinüberzugehen. Schließlich konnte man Desai kaum als einen guten Bekannten bezeichnen.

Schweigend fuhren sie in Richtung Küste die Hauptstraße entlang, durch die Staubstürme von Öllastern, bis sie die befestigte Fahrbahn erreichten. Dann erhöhten sie die Geschwindigkeit.

Kurz vor Morogoro versuchte ein Afrikaner sie mit einer Fahne zum Anhalten zu bewegen. Er war alt und verwittert, aber ordentlich gekleidet.

Harry brach ihr langes Schweigen mit dem Vorschlag: »Vielleicht sollten wir . . .?« Er ging sogar ein wenig vom Gaspedal.

»Halte nicht an«, sagte Helen kalt. »Halte nie wieder an. Ich hasse dieses Land. Ich will weg von hier.«

»Was? Aber ich habe einen Drei-Jahres-Vertrag . . .« Harrys Worte klangen unecht, wie einstudiert.

»Du schon. Ich nicht. Ich will weg von hier; ich will nach Hause fliegen.«

»Sei vernünftig.«

»Die Vernunft kann mich mal«, sagte sie. »Es scheint immer nur Vernunft zu geben. Es gibt auch Wahnsinn. Und Scham. Und den Tod. Und Gespenster.«

»Ich verstehe dich nicht.«

»Nein, sicher nicht. Das ist wahr.«

Etwas klapperte im Inneren des Motors, der im Heck des Wagens untergebracht war. Für Helens Ohren klang es wie das Tappen von Pfoten, die hinter dem Wagen hereilten, mühelos mit ihm Schritt haltend. Es war ein Geräusch, von dem sie befürchtete, daß sie es von jetzt an immer hören würde.

»Meine Socken stinken wie das Maul einer wilden Bestie«, sagte sie. »Weißt du, warum?«

»Nein.«

»Weil du sie gar nicht zurückgebracht hast. Der Leopard brachte sie mir vorige Nacht.«

Harry konnte nicht antworten. Er wußte, daß es ihm nie möglich sein würde, auf eine solche Eröffnung zu antworten. Und doch wußte er in diesem Moment irgendwoher, daß ihm die Flucht gelungen war – während sie Helen nicht gelungen war. Selbst als sie ihre Drohung vorbrachte, ihn zu verlassen, die Koffer zu packen und mit dem Flug nächste Woche zu verschwinden, würde sie nicht dem entfliehen können, was von ihr Besitz ergriffen hatte. Aber er würde frei davon sein. Frei von Haß.

Plötzlich war er sehr froh. Er versuchte sich noch weiter zu entspannen, indem er seine Schultern straffte und das Gaspedal durchtrat.

Schon hegte er den Verdacht, daß er nach ihrer Trennung eine Afrikanerin heiraten würde. Miß Nsibambi, ja. Warum nicht? Sie besaß einen Abschluß in Wirtschaftswissenschaften, hatte aber während der ersten drei Jahre nach ihrem Studium am National Service für das Ministerium arbeiten müssen, um die Raten zurückzuzahlen und beim Aufbau dieses armen Landes zu helfen. Also führte sie ein schweres Leben; aber sie war bezaubernd. Und schwarz. Wie hatte Desai es nur wagen können, all das über schwarze Mädchen zu sagen! Desai war ein Rassist.

Wenn Helen erst fort war, würde Harry Miß Nsibambi ins Kino ausführen und ihr im Dachrestaurant des Hotels Twiga malaiischen

Hummer auf Curry bestellen. Er würde sich stärker mit Afrika identifizieren. Dann, wenn sein Vertrag ausgelaufen war, würde er die schwarze Mrs. Sharp mit sich nehmen, und sie würde glücklich sein, gehen zu dürfen – auf jeden Fall glücklicher, als Helen es gewesen war, zu kommen.

Mit der Erfahrung einer Ehe hinter sich, würde die nächste zweifellos besser vonstatten gehen. Und solange er in diesem Land blieb, würde er mit Miß Nsibambi sicher sein.

Neben ihm stellte Helen aufmerksam den Kopf schräg, als lauschte sie einem Geräusch, das er nicht hören konnte.

Er überlegte, wie es wohl sein mochte, eine Afrikanerin zu lieben. Er würde das Licht anlassen müssen, um es herauszufinden. Um ihre ebenholzfarbene Dunkelheit zu erhellen.

Er fuhr ein wenig schneller, um dieser Zukunft näherzukommen.

Zwanzig Meilen weiter griff er nach Helens Hand, schon im voraus wissend, daß sie sie zurückziehen würde. Was sie auch tat.

»Wenn es *das* ist, worauf du aus bist«, erwiderte sie barsch.

Vor ihnen tanzte ein weiterer Afrikaner auf der Straße herum, um sich mitnehmen zu lassen. Dieser Mann war zerlumpt, seine Sandalen aus alten Gummireifen zurechtgeschnitten.

»He, der sieht ja genau aus wie . . .!« Harry hielt plötzlich inne.

»Fahr ihn um«, sagte Helen. »Fahr – ihn – um!«

»Aber ich kann ihn doch unmöglich . . .!« Sie war verrückt. Völlig verrückt. Den Mann einfach umfahren? Das würde alles zunichte machen. Miß Nsibambi würde ihn dann nie mehr heiraten.

»Es ist das einzige, was du noch für mich tun kannst! Fahr ihn um!«

Je näher sie kamen, desto heftiger fuchtelte der Mann mit den Armen und grinste und nickte. Harry bereitete sich darauf vor, an dem Mann vorbeizufahren. Er war nur noch fünfzig Yards entfernt.

Plötzlich griff ihm Helen ins Steuer und riß es herum. Der Wagen drehte sich um seine Achse. Harry war sich dessen bewußt, daß er den Mann traf. Dann schleuderten sie von der Fahrbahn und überschlugen sich. Die Welt wurde schwarz.

Stimmen, die Suaheli sprachen. Der Gestank von Benzin. Harrys Kopf schmerzte heftig, als Hände ihn anhoben und aus dem Fenster zogen. Verschwommen sah er zwei parkende Lastwagen. Ehe die

66

Hände ihn hochzerrten, blickte er hinunter, sah Helen, das Blut auf ihrem Gesicht, den Winkel ihres Genicks.

Als die beiden afrikanischen Fahrer ihn auf den warmen Erdboden legten, zitterte er unter der Nachwirkung des Schocks. Dann beruhigte er sich; entspannte sich. Es war vorbei – und schon so bald. Und man würde ihn bedauern. Besonders Miß Nsibambi würde seine Einsamkeit bedauern und die Weise bewundern, auf die er trotz seines Verlustes weiterarbeitete.

Oder war das nur eine wütende Phantasie, geboren aus einem Streit? Miß Nsibambi heiraten: Was für eine Art Trugbild war das eigentlich?

Helen und ich wären darüber hinweggekommen, dachte er. *Wir hätten es geschafft. Jetzt können wir es nicht mehr. Nie wieder.*

»Mann auf Straße«, sagte er in schlechtem Suaheli zu einem seiner Retter. »Wie geht?«

»*Hapana mtu*«, sagte der Afrikaner. »Kein Mann auf Straße. Nur du und *Memsahib* hier.

»*Hapana mtu*«, wiederholte sein Retter.

Harry begann sich zu fürchten.

Fern im Busch wurde ein Zebrafohlen geboren. Von seiner Mutter mit der Zunge gesäubert, erhob es sich taumelnd auf die Beine, die noch schwach und wackelig waren. Anders als bei den übrigen Zebras waren die Hufe und Fesseln dieses Fohlens von einem ungebrochenen Schneeweiß, so daß sie für alle Welt wie Söckchen wirkten. Seine Nüstern sogen die erstaunliche Luft ein. Seine Ohren richteten sich auf, als es ein weit entferntes Grollen vernahm – als hätte es dieses Geräusch von jeher gekannt.

Wir durchqueren die Wüste von Arizona, erwachen aus unserer Betäubung, und durch unseren Verstand schwirrt die *koiné,* die allgemeine Mundart, die Universalsprache: Griechisch.

Unsere Gehirne kochen und brodeln noch von all den Schnellernverfahren: Drogen zur Steigerung der Aufnahmefähigkeit, Hypnose, Computeranschluß, Stimmen vom Band, die mit hoher Geschwindigkeit wie pfeifende Delphine quieckend ablaufen. Bis wir in Babylon ankommen, sagte man uns, werden sich unsere Sinne geklärt haben. Ein Bodensatz griechischer Wörter, Redewendungen und Sätze wird sich auf dem Grund unseres Verstandes abgelagert haben; unser normales Bewußtsein wird hell, klar und attisch sein. Und so werden wir versuchen, mit der Zukunft, die im Vergangenen niedergeschrieben ist, ins reine zu kommen.

Ein paar Saguaro-Kakteen huschen vorbei: wahrscheinlich die letzte einheimische amerikanische Vegetation, die wir für lange Zeit sehen werden. Die Wüste vor uns ist nackt und leer, eine Pufferzone zwischen Amerika und Babylon.

Wir durchqueren diese entblößte Wüste in einem Luftkissenfahrzeug, folgen dabei dem Asphaltstreifen der Straße, die einst zu der Baustelle hinführte. Fahrzeuge auf Rädern dürfen sie nun nicht mehr benutzen. Sie ist gesperrt, nicht länger eine moderne Schnellstraße. Wir fliegen wenige Zentimeter über ihr dahin, getragen vom Luftstoß unter uns, während der Wind aus unserem Heckgebläse sie vom Sand befreit. Doch wir berühren sie nicht. Wir sind losgelöst; losgelöst auch von jenem Amerika, das wir hinter uns gelassen haben. Außerdem nehmen uns die plappernden Stimmen in unseren Gehirnen jede Orientierung; aber wie man uns versprach, werden sie schon leiser, sinken hinter den Horizont unserer Wahrnehmung.

»Alex . . .« Deborah spricht mich auf altgriechisch an – einem Griechisch mit erweitertem Vokabular. Ich nicke, achte jedoch nicht weiter auf sie. Nichts, was wir im Augenblick sagen könnten, ist von Bedeutung. Wir befinden uns noch im Übergang.

Außerdem habe ich nicht wirklich das Bedürfnis, eine Beziehung zu ihr aufzubauen. Noch nicht. Nicht als die Menschen, die wir waren, als wir uns kennenlernten. Was erst vor zehn Tagen geschah, als wir beide, die wir aus entgegengesetzten Richtungen kamen, in jenem glänzenden, hypermodernen Städtchen südlich von Casa Grande eintrafen: der sogenannten Universität der Zukunft, der Heuristischen Universität.

Ich, Alexander Winter, aus dem mühsam aufrechterhaltenen Ökotopia Oregons, mit einem ziemlich nutzlosen akademischen Grad in Sozialwissenschaften. Sie, Deborah Tate, aus New York – was ihr vielleicht so etwas wie ein Vorrecht auf Babylon eingeräumt hat – und einer Vergangenheit als Computerprogrammiererin und hoffnungsvolle Schauspielerin; aber dieser Traum war inzwischen gestorben, um durch das Verlangen ersetzt zu werden, endlich eine Rolle wirklich zu leben.

Deborah. Ziemlich groß, ziemlich graziös. Lockiges, kohlschwarzes Haar, dunkle Augen. Vielleicht wird sie unverzüglich losziehen und sich in Babylon in den Tempel der Liebe setzen und darauf warten, daß irgendein Fremder vorbeikommt und ihr eine Münze in den Schoß wirft. Ob alt oder jung, häßlich oder gutaussehend, dürr oder fett, sauber oder verdreckt: Sie muß mit ihm gehen und bei ihm liegen. Das ist so Brauch. Ein Brauch, der mancher reizlosen Frau unangenehm ist; sie verbringen manchmal Monate wartend im Tempel. Diese Aussicht schien Deborah zu faszinieren.

Aber vielleicht hat sie, als wir noch auf der Universität waren, nur deshalb davon geredet, weil sie hoffte, ich könne der Fremde sein? So daß sie das Prickeln der Erregung und Unruhe spüren konnte, ohne sich der Realität stellen zu müssen? Ich weiß schon, daß ich es nicht sein werde, der ihr jene Münze mit dem aufgeprägten Kopf Alexanders zuwirft. Ich nicht; noch nicht. Ich hoffe, sie begreift das. Es hieße, Babylon untreu zu werden.

Obwohl ich später vielleicht, vorausgesetzt unser Besuch ist in unseren Augen wie in denen der Universität ein Erfolg – und angenommen, daß wir beide babylonische Bürger werden –, obwohl ich später vielleicht bei der Versteigerung auf dem Heiratsmarkt von Babylon für Deborah bieten werde. (Denn auch das ist babylonischer Brauch.) Vielleicht.

Ich bezweifle nicht, daß wir beide Bürger werden. Babylon braucht noch zusätzliche Bevölkerung; und es muß, nehme ich an, eine Fluktuation durch Bürger geben, die die Stadt freiwillig wieder verlassen. Ich nehme es an; obwohl ich bisher meines Wissens nach keinen ehemaligen Babylonier getroffen habe. Aber die Stadt wurde auch erst vor vier Jahren vollendet.

Ja, ich werde Bürger. Ich werde mein Haar lang wachsen lassen, einen Turban tragen und Parfum benutzen und einen flotten Spazierstock schwingen.

»Schau«, sagt sie auf griechisch. (Alle, die nach Babylon kommen, sprechen anfangs Griechisch. Mit der Zeit werden wir Babylonisch lernen. Aber Griechisch ist die von Reisenden verwendete Weltsprache. Es ist das Englisch seines Zeitalters. Denn dies ist die Epoche Alexanders des Großen; und es sind die letzten Tage seiner Herrschaft. Mein Namensvetter liegt am Fieber sterbend im Palast Nebukadnezars.)

»Schau!«

Vor uns ist im Osten und Westen das Glitzern von Wasser und das Grün fruchtbaren Ackerlandes zu sehen. Die Wüste wird sich bald zu einem großen V verengen, das sich in Richtung auf . . .

In der Ferne erspähe ich die Mauern Babylons.

Unsere gesamte Gruppe steigt am Ischtartor aus. Soldaten beobachten uns ungerührt, auf ihre Speere gestützt. Sie schenken dem Luftkissenfahrzeug keinerlei Beachtung, als es seine Rockschöße wieder aufplustert und mit aufheulendem Antrieb herumschwingt, um dorthin zurückzukehren, wo es hergekommen ist. Es gehört nicht hierher. Der Luftstrom aus seinem Gebläse umwirbelt uns mit Staub, so daß unsere griechische Kluft, nachdem wir im Stil des zwanzigsten Jahrhunderts adrett und sauber angekommen waren, jetzt von der Reise verdreckt ist.

Das Mauerwerk der Tortürme ist prachtvoll lackiert und zeigt ein Hochrelief aus übereinanderstehenden Tiergestalten: einen cremefarbenen, aus verschiedenen Teilen zusammengefügten Drachen – teils Viper, teils Vogel, teils Echse, teils Löwe – vor türkisfarbenem Hintergrund; seine gespaltene Zunge, die Mähne und die Klauen funkeln goldbraun . . .

Meine Gedanken sind jetzt scharf und klar. Sie leuchten wie jenes Mauerwerk. Ich fühle mich, als sollte ich einem längst vergessenen Gott ein Dankopfer darbringen. Schamasch vielleicht, dessen Sonne sengend herabscheint. Es wäre nur höflich.

»Freuet euch«, sagt Deborah. »Wir sind eingetroffen.« Sie klingt wie Pheidippides nach dem langen Lauf von Marathon nach Athen, nachdem der Ansturm der Perser abgewendet worden war – das liegt jetzt mehr als einhundertsechzig Jahre zurück.

Seither hat sich viel ereignet; und so betreten wir, eine Gruppe Griechenlandreisender, friedlich das Babylon der Chaldäer, die den persischen Herrschern der Stadt vorangingen, die wiederum vor Alexander kamen, der jetzt hier im Sterben liegt . . . Es sind wieder einmal die letzten Tage einer Welt.

Die Mauern der vor uns liegenden Stadt erstrahlen von Löwen und Tigern, Ebern und Wölfen, die auf farbigen, emaillierten Ziegeln abgebildet sind. Und die Gerüche dringen uns schon in die Nase: von Dung, Fischkuchen, Holzkohle, Abfall, Urin . . . und von aromatischen Harzen, Moschus, Sandelholz und Patchuli sowie den duftenden Ölen der Bewohner. Vielleicht müssen auch wir bald die Parfumverkäufer aufsuchen!

Unsere ursprüngliche Gruppe teilt sich nach und nach auf, und jeder geht seines eigenen Weges. Schließlich sind Deborah und ich gemeinsam auf einer überfüllten Straße als letzte übrig.

Wir müssen eine Unterkunft finden. Auf griechisch spreche ich einen barfüßigen Bettler an, der auf einem Bündel Lumpen hockt. Ich wähle ihn eher aus Neugier als aus perverser Neigung aus; immerhin war er noch vor gar nicht langer Zeit Amerikaner. »Grüße! Könntet Ihr mir sagen, wie ich . . .?«

Er grinst bösartig mit gelben Zähnen; und er streckt eine waagerechte Handfläche aus. Wie ein Affe, der um Erdnüsse bettelt. Die Bewegung gibt kurz den Blick auf ein Messer frei, das in einem Tuch steckt, das um seine Hüften geschlungen ist.

Deborah zerrt an meinem Arm, zieht mich hastig in die Menge davon. Und sie hat natürlich recht.

Ein Streitwagen rattert die Straße hinunter; die Menge stiebt auseinander.

In Babylon herrscht Synchronismus. Und ich brauche wohl kaum hinzufügen, daß es sich dabei nicht um einen assyrischen König handelt. Wie Sanherib. Hier in Babylon existieren die großen Bauten mehrerer verschiedener Epochen alle nebeneinander. Sie koexistieren in der Zeit.

71

Also ein wenig Geschichte . . .

Das Herrliche Babylon, das Babylon Hammurabis, des Gesetzgebers und Kanalbauers, fiel in die Hände der streitsüchtigen, gierigen, kulturlosen Kassiten, die die Stadt verfallen ließen. Einige Zeit später wurde jenes ursprüngliche Babylon von dem Assyrer Sanherib völlig zerstört. Seine Soldaten töteten sämtliche Männer, Frauen und Kinder in der Stadt, rissen die Häuser nieder und leiteten sogar einen Hauptkanal um, um die Ruinen zu überfluten.

Aber weniger als hundert Jahre danach bauten die Chaldäer – die mit persischer Hilfe die Assyrer vernichteten – Babylon als ihre Hauptstadt wieder auf. Binnen kürzester Zeit erstrahlte die Stadt unter Nebukadnezar in prächtigerem Glanz als jemals zuvor.

Doch seltsamerweise war es den Chaldäern nicht möglich, ganz in der Gegenwart zu leben. Jedenfalls ihren Intellektuellen nicht – den Priestern und Schreibern. Inmitten prächtiger neuer Paläste und Tempel, und während sie gleichzeitig Observatorien bauten, um die Planeten und Sterne zu beobachten, gruben sie nostalgisch in den alten Ruinen nach Tontafeln und Aufzeichnungen. Mit diesen als Anleitung begannen sie, die Vergangenheit in Kleidung, Sitten und Sprache affektiert zu kopieren.

Bald darauf wurde das chaldäische Reich von seinen ehemaligen Verbündeten, den Persern, angegriffen und vernichtet; und langsam versank Babylon wieder im Chaos der Ruinen und Trümmer.

Und schließlich unterwarf Alexander von Makedonien die Perser. Aber dann geschah etwas Neues in der Geschichte. Alexander empfing den Traum von der Weltherrschaft. Er vereinigte die Makedonier und die Perser; und das erste Weltreich mit einheitlicher Sprache und einheitlicher Wirtschaftsstruktur wurde errichtet, mit Babylon als Zentrum. Babylon erhob sich wieder, diesmal als Metropole der gesamten bekannten Welt.

Aber nur kurz, allzu kurz. Denn im Palast Nebukadnezars – der natürlich lange vor Alexanders Geburt verfallen war, hier jedoch immer noch so perfekt erhalten wie ehedem existiert – liegt mein Namensvetter im Sterben. Im Alter von dreiunddreißig Jahren.

Wieder einmal ist das Ende Babylons angebrochen. Die letzten Tage neuentfachter Pracht. Aufstieg und Fall. Aufstieg und Fall. Und Fall. Hier existiert alles gleichzeitig: das Babylon Hammurabis,

Nebukadnezars, Alexanders. Und vor ihm liegen Staub und Asche; und die unbekannte Zukunft.

Die Zukunft Roms – zur Zeit ist es nicht viel mehr als ein winziges Dorf. Die Zukunft von Byzanz. Die Zukunft des Heiligen Römischen Reiches. Des spanischen Weltreichs. Des britischen Empire. Des Dritten Reiches. Der Stars and Stripes.

Staub und Asche. Versunkene Monumente. Knochen. Amnesie.

Welches rauhe Dorf im Kongo oder der Südsee schleppt sich unterdessen in die Zukunft, um eines Tages zur neuen Metropole des menschlichen Lebens zu werden? Wo doch auf der Welt kein Platz mehr ist für das Sammeln einer neuen Goldenen Horde oder für Barbaren, die aus den Hügeln herabstürmen?

Wo ist die neue Inkarnation von Macht und Pracht? Kann es so etwas noch geben? Müssen die Babylons unserer Zeit, Moskau und New York, Tokio und Peking, ihrerseits weichen? Was sind die Triebkräfte von Niedergang und Verfall? Wo findet sich das Elixier des Überdauerns? Wie kann die Gegenwart im Laufe der Jahre in die Zukunft hinein fortgeschrieben werden, damit der Wandel nicht wegschwemmt, was wir wissen? Wie entsteht Beständigkeit? Wie entsteht Veränderung? Was weiß die soziale Psyche, was die Futurologen nicht wissen?

Um solche Fragen zu beantworten, wurde Babylon synchronistisch wieder aufgebaut und in der Wüste Arizonas zu neuem Leben erweckt, glorreich im Gleichgewicht am Rande des endgültigen Abgrunds gehalten, während Alexander auf immer und ewig im Palast im Sterben liegt.

Denn Babylon ist kein Disneyland, kein ›Vergangenheitspark‹. Es ist keine ›Alte Welt‹, in der Touristen ihren Urlaub verbringen können. Noch ist es ein utopisches Arkadien oder eine experimentelle Gemeinschaft, die dem zwanzigsten Jahrhundert bewußt den Rücken zukehrt, um ein Leben wie in der Antike zu führen. Wenn es sich lediglich um eine dieser Alternativen handelte, hätte dann die amerikanische Regierung für die enormen Anfangskosten gebürgt, die denen einer bemannten Raumstation entsprachen? Oder Babylon von den Gesetzen des Staates und des Bundes ausgenommen?

Babylon ist das ehrgeizigste, wichtigste Projekt, das sich je mit der Zukunft unserer Zivilisation beschäftigte, wie wir sie kennen.

Möglicherweise. Aber möglicherweise ist die Heuristische Universität auch nur eine monströse Torheit – und ihr Babylon eine andere Art von Torheit: eher den Torheiten vergleichbar, die sich reiche Engländer im achtzehnten Jahrhundert in ihre Landschaftsgärten stellten? Jedoch von erheblich größerem Umfang; und nicht nur eine Fassade, sondern eine vollständig funktionierende antike Stadt.

Und warum? Pflegt der Herbst einer Kultur stets von riesigen, launenhaften Bauvorhaben geprägt zu sein? Von Übungen in architektonischer Metaphysik, dazu bestimmt, dem Strom der Zeit standzuhalten? Von Plänen, die nach religiösen Unsterblichkeitsphantasien stinken, sich aber als etwas anderes geben? (Nennen Sie es das Ozymandias-Syndrom . . .!) Ist Babylon die geistige Erlösung seines Niedergangs? Ich weiß es nicht. Ich hoffe es herauszufinden.

Dies ist der Tempel Marduks, des Gottes des Sieges. Breite Rampen führen steil im Zickzack empor, kreuzen einander, umrunden die zahlreichen Türme des Tempels. Ein Strom von Gläubigen steigt hinauf; andere kommen herunter. Sind sie wirklich auf Gebete aus – oder nur darauf, den Ausblick von der Spitze zu genießen? Auf dem riesigen Vorplatz verkaufen Straßenhändler Räucherstäbchen und Öl und blökende Lämmer, Schalen mit importiertem griechischen Wein und Rissolen.

Ich spreche einen der sich auf dem Rückweg befindlichen Gläubigen an: einen bärtigen Mann mit Turban. »Verzeihen Sie, mein Herr. Ich bin auf Besuch hier. Beten Sie hier *tatsächlich* den Gott des Krieges an?«

Wer betet heutzutage schon noch den Krieg an? Aber schließlich schreiben wir das Jahr 323 v. Chr. . . .

Der Mann errötet.

»Narr!« knurrt er und schiebt mich beiseite.

Ein anderer, älterer Mann hat den Wortwechsel gehört. Er nähert sich mit einem schiefen, entschuldigenden Lächeln und bleibt vor mir stehen, wobei er mit seinem Zierstock spielt.

»Vielleicht zeugt es von größerer Lauterkeit, Götter anzubeten, die nicht existieren?« meint er geheimnisvoll. »Aber vielleicht ist ihre Anbetung auch die *Ursache* ihrer Existenz? Andererseits, wo kann man in diesen späten Tagen noch in aller Unschuld den Krieg anbeten? Vielleicht sind diese Gläubigen einfach auf der Suche nach ihrer eigenen verlorenen Unschuld – der Unschuld des Tieres, das nicht danach fragt, ob morgen die Sonne wieder aufgeht. Oder ob es überhaupt ein Morgen geben wird. Denn die Tiere wissen nichts vom Morgen. Und das Gestern ist bereits gelöscht. Alles ist Jetzt, die Gegenwart, der Augenblick. Und so wiederholt sich der Augenblick auf ewig. Auf diese Weise überdauert das Tier und seine Art Jahrmillionen. Statt Geschichte besitzt es Instinkt. Aber vielleicht zerstören die griechischen Kriegsgötter in gewissen Abständen ganze Reiche mit all ihren Aufzeichnungen und Monumenten – weil sonst die Bürde des Erinnerns uns unter ihrer Last begraben würde. Wir hätten nicht die Kraft zu neuen Unternehmungen; die in Wirklichkeit die gleichen alten Unternehmungen sind, nur vergessen und dann neu entfacht.«

Was soll ich davon halten? Ist er ein Philosoph, ein Phantast, ein Narr? Oder ein Futurologe? Will er damit sagen, daß die Welt zerstört werden muß, um die Welt weiterbestehen zu lassen? Daß Amerika dem Niedergang anheimfallen muß, damit das Königreich von Amazonien oder Aschanti aufsteigen kann? Bestimmt vergißt er dabei die Atomraketen, die in ihren Silos warten. Aber könnte es nicht sein, daß die Gesellschaft einfach zusammenbricht und die Raketen bleiben, wo sie sind, vor sich hinrostend, nicht einsetzbar?

Er vollführt einen neckischen kleinen Tanz um seinen Spazierstock.

»Und vielleicht, Fremder«, sagt er, »ist Marduk gar nicht der Gott des Krieges. Bilden Sie sich nicht ein, Sie seien weise, nur weil Sie Grieche sind. Sie sind hier, um Babylon zu *entdecken*. Aber wenn ich's recht bedenke, wir auch!«

Er zwinkert uns zu und schreitet munter davon.

»Warten Sie!«

Er wartet nicht.

Wir kaufen Fischrissolen und Wein.

Dies ist der Fluß Euphrat, der das Herz Babylons durchfließt, auf dem riesige Weidenkähne schwimmen, die Waren, Passagiere und Ziegen stromabwärts tragen. Selbst mit Rudern an Bug und Heck neigen diese vollkommen runden Boote dazu, sich im Strom zu drehen wie Autoscooter auf einem Jahrmarkt.

Wir stehen auf der steinernen Brücke, die Herodot so bewundert hat, und beobachten an die Balustrade gelehnt den Verkehr auf dem

Fluß. Von einem kräftigen Brückenpfeiler zum anderen erstrecken sich reihenweise Planken, die alle angehoben und zurück ans Ufer gezogen werden können, um die Brücke unpassierbar zu machen. Jeden Abend werden sämtliche Planken abgenommen und aufeinandergestapelt; Jeden Morgen werden sie zurückgelegt. Man baut eine Brücke nicht, damit der Feind sie überqueren kann! Doch schließlich ist dies das Herz Babylons. Ist das Herz krank, in sich gespalten? Ist dies das Corpus Callosum, die Brücke zwischen den beiden Hemisphären des babylonischen Gehirns? Träumt die Stadt jede Nacht, wenn sie schläft, zwei verschiedene Träume, den Traum der Vergangenheit und den Traum der Zukunft?

Jenseits der Stadtmauern fließt der Euphrat ein halbes Dutzend Meilen weit durch bewässertes Ackerland. Anschließend verläuft er durch einen unterirdischen Tunnel zurück, bis zu einer entsprechenden Entfernung stromaufwärts der Stadt. Der Euphrat ist eine geschlossene Schleife von zwei Dutzend Meilen Länge. Das Pionierkorps hat ihn gebaut. Ein in die Erde eingelassener geothermischer Ableiter liefert die Energie für die mächtigen Pumpen am stromaufwärts gelegenen Ende, die den Fluß wieder aus den Tiefen emporheben. Stromabwärts reinigen verborgene Kläranlagen das verschmutzte Wasser, ehe es unterirdisch wieder zurückfließt.

Schlaf. Und Träume.

Wir hatten Unterkunft gefunden in einem verwahrlosten Gasthaus mit einem Hof, auf dem Pferde und Kamele scharrten und schnaubten, keuchten und wieherten. Eine Karawanserei.

Deborah und ich hatten getrennte Zimmer genommen: winzige Kammern mit Ziegelwänden, strohgefüllten Matratzen und zerlumptem Bettzeug, jedoch recht sauber. Zu unserer Überraschung gab es keine Wanzenplage.

Deborah und ich schlafen nicht gemeinsam, weil wir uns, seit wir Babylon betreten haben, zunehmend fremder geworden sind. Wir können erst wieder zueinander finden, wenn wir den Weg zur Fremdheit vollständig hinter uns gebracht haben – und uns schlußendlich dort wieder treffen. Wenn wir uns dann überhaupt noch erkennen. Oder uns zu erkennen wünschen.

Wir haben die gleiche Unterkunft, und wir streifen sogar gemeinsam umher. Aber nicht wie Liebende, die wir nie waren, nicht einmal wie Bruder und Schwester, die in ihrem Verhalten lediglich ihre gegenseitige Vertrautheit widerspiegeln.

Ich träume: daß die Raketen alle abgefeuert, die Bomben alle gefallen sind. Rußland und Amerika existieren nicht mehr; Europa und China sind von der Landkarte verschwunden. Andernorts wüten von Menschen erzeugte Seuchen. Es ist der Zusammenbruch, das Ende der technologischen Kultur, weltlicher Herrschaft.

Während Babylon überlebt. Hier in der einsamsten Ecke der amerikanischen Wüste – obwohl es kein ›Amerika‹ mehr gibt – bleibt Babylon intakt, unversehrt. Unberührt. Und fährt ganz einfach fort, Babylon zu sein.

Es ist, als habe die von all den Sprengköpfen erzeugte Megaenergie ein Loch in das Raum-Zeit-Kontinuum gerissen, die Uhr der Sonne und den Kalender der Erde durcheinandergebracht. Diese antike Stadt aus einem vergangenen Zeitalter gerissen und die Zukunft versetzt. Als die einzig bleibende Zukunft.

Babylon gedeiht. Der Euphrat fließt ewig im Kreis. Jahreszeiten vergehen; ganze Jahrzehnte. Allmählich beginnen die Babylonier zu kolonisieren, was einmal Amerika war. Aber sie wissen nichts mehr von den Sitten oder der Sprache des toten Amerika oder des untergegangenen zwanzigsten Jahrhunderts. Sie kennen nur babylonische Bräuche. Langes Haar und Parfüm; Marduk und Ischtar; Weidenkähne und Stufentürme.

Ob wohl anderswo, weit entfernt, ein neuer assyrischer Wolf oder ein neuer Alexander in Angola oder Argentinien seine Streitmacht sammelt, um aufs neue mit Babylon zusammenzuprallen?

Wir werden sehen.

Zweifellos gibt es irgendwo in der Stadt Oneiromanten, Traumdeuter, die die Bedeutung dieses Traumes erkennen könnten.

Tage vergehen.

Die Tierbilder sind in Babylon allgegenwärtig, in leuchtenden Wandreliefs und Statuen. Hauptsächlich von Tieren, die zum Schlachten bestimmt sind. Hirsche, Büffel, Löwen, Stiere und Widder. Und Drachen.

Gemeinsam mit Deborah besuche ich das Wunderkabinett der Menschheit in einem Winkel des Palastes: das erste Museum der Weltgeschichte, durch Nebukadnezar der breiten Öffentlichkeit zugänglich gemacht. Ich hatte mich gefragt, ob es ebenfalls voller Tiere sein würde, ausgestopfter oder nachgebildeter exotischer Tiere.

Das ist es nicht. Es ist voller Antiquitäten. Es gibt darin Tontafeln und Tonzylinder. Es gibt eine Dioritsäule, auf der in Keilschrift zehntausend Buchstaben eingeprägt sind: die Gesetze des Hammurabi. Es gibt Inschriften aus Ur, Steinschalen und Figurinen aramäischer Wettergötter, kassitische Keulen, mesopotamische Statuen, Grundsteine antiker Tempel, Reliefe, Stelen, thebanische Obelisken, Aufsätze für Kriegskeulen und Knüppel, Schmuck, Brustplatten, Nippes. Und so weiter und so weiter.

Der Kurator intoniert: »Hier findet sich die gesamte Spanne der Zeiten, Griechen.« Einen Moment lang glaube ich ihm. Fort ist das Rom der Cäsaren und das Rom der Päpste. Fort ist das Kruzifix, ist die Moschee. Fort die Renaissance; fort das Zeitalter der Raumfahrt. Sie existieren noch nicht. Also hat es sie nie gegeben.

Auch Deborah muß das in ihrem Innersten spüren. »Ist es nicht seltsam?« flüstert sie mir zu. »Es gibt so viel, was hier fehlt. Eigentlich fehlt hier fast *alles*, was uns je wichtig erschien! Und doch war für sie die Welt genauso erfüllt – mit all dieser uralten Geschichte, die weit in ihre Vergangenheit reicht.

Und die Zukunft . . . Wir. Was wir für den Höhepunkt der Vergangenheit halten – die kaum *begonnen* hatte, als dieses Museum geöffnet wurde: Es wirkte so phantastisch wie ein Fiebertraum! Von Menschen, die wie Götter durch die Luft und den Weltraum fliegen und Blitze schleudern und ihre Gedanken und Bilder innerhalb eines Augenblicks von Ort zu Ort schicken – als liege die gesamte Mythologie noch *vor* statt hinter uns!«

»Die *gesamte* Spanne der Zeiten«, wiederholte der Kurator mit Nachdruck.

»Ja«, sagt sie zu mir. »Und weitere tausend Jahre in der Zukunft wird das zwanzigste Jahrhundert als etwas so Vorübergehendes, Provisorisches und Beschränktes erscheinen. Weil X sich noch nicht ereignet hat. Oder Y oder Z – was so gottverdammt wichtig ist, so unabdingbar für den Lauf der Geschichte, daß es alles verändert. Wesen von den Sternen, Unsterblichkeit, ich weiß nicht was. Und abermals tausend Jahre später werden X, Y und Z von A, B oder C völlig in den Schatten gestellt worden sein . . .«

Sie sah sich wild in dem Wunderkabinett um. »Zu glauben, daß dies die gesamte Spanne sei! Es im tiefsten Innern zu wissen. Aber, das könnte uns ja aus der Tretmühle der Zeit befreien! Dann könnte die Zeit uns nicht mehr fortschwemmen. Oder aber . . . wir könnten dieses Fortschwemmen voraussehen – und unsere Welt entsprechend einrichten. Und so die Veränderungen überstehen. Wir könnten uns von der Flut der Jahre treiben lassen, statt von ihr ertränkt zu werden. Ja, jetzt verstehe ich. Unsere Kultur versucht zu lernen, wie man dem Ertrinken entgeht – indem sie uns hierherschickt, wo *sie nicht existiert*, nie existiert hat.«

Wunder? Dies? Hier, in diesem ersten Museum? Ton und Stein? Bronze und Gold? Statt Dampfmaschinen, Saturnraketen, Mikrocomputern?

Ja, vielleicht. Sich in einen Geisteszustand zu versetzen, in dem solche Dinge wie Raketen, Satelliten, Armbandcomputer und Herztransplantationen sich einfach mit Obelisken und Töpferarbeiten und Brustplatten gleichsetzen lassen – das zwanzigste Jahrhundert durch das andere Ende des Zeitteleskops zu betrachten – das heißt, es einem zu ermöglichen, daß man die Zukunft versteht . . .

Wir haben eine fremdartige Stadt errichtet, als befinde sie sich auf dem Mars, um uns dem Großen Bären der Gegenwart zu entfremden, der auseinanderzubersten droht. Sobald Babylon uns nicht länger fremd erscheint, können wir beginnen, die Zukunft wiederzugewinnen, sie von ihrer Bedrohlichkeit zu befreien, sie kennenzulernen. Nicht durch delphische Orakelsprüche oder Computerprojektionen, Weltmodelle oder Algorithmen, die der Gegenwart verhaftet sind. Nicht verstandesmäßig. Sondern emotional.

Dann könnten auch Deborah und ich beginnen, unsere eigenen Gefühle zu begreifen. Wie auch immer sie sich äußern mögen.

Dies ist der Turm zu Babel: der höchste von allen Stufentürmen, ein Wolkenkratzer, obwohl der Himmel sich hier in wolkenlosem Wüstenblau darstellt, so daß es schwierig ist, diesem Himmel eine obere oder untere Grenze zu geben.

Eine einzelne Rampe windet sich in Spiralen aufwärts, immer im Kreis, so daß jeder Rang schmaler ist als der darunterliegende. Und die hohen Mauern einer jeden Stufe sind von Türmen und Fenstern durchbrochen – wenn man sie zu einem Band entrollte, würde die

Korkenzieherspirale der Turmhöhe sich über die ganze Stadt hinweg bis ins angrenzende Umland erstrecken. Der Weg bis zur Spitze ist lang, und viele Leute wohnen dort oben in den Eingeweiden Babels: eine Miniaturstadt innerhalb einer Stadt, mit eigenen Gaststätten, Läden, Werkstätten und Wohnungen. Manche Leute machen sich wahrscheinlich nie die Mühe herabzusteigen; andere müssen ausschließlich damit beschäftigt sein, Vorräte und Handwerkserzeugnisse zwischen den verschiedenen Ebenen sowie zwischen Babel und dem umgebenden Flachland zu befördern.

Vom Entwurf her hat dieser Turm nichts mit einem eckigen Zikkurat voll gerader Linien und scharfer Winkel gemein; seine Erscheinung ähnelt mehr dem Bild Breughels, obwohl dieser Turm schlanker ist als seiner. Vielleicht gibt es dafür bauliche Gründe; oder vielleicht war Breughels Vision von Babel zu zwingend, um sie ignorieren zu können, auch wenn sie erst zweitausend Jahre später gemalt werden sollte . . .

Ich bin mir nicht sicher, ob dort oben auf diesen Rängen wirklich hundert fremde Sprachen gesprochen werden: Akkadisch und Ägyptisch, Persisch und Aramäisch. Aber wohlbehütet in der attischen Klarheit des Griechischen mache ich mich forsch auf den Weg zum Fuß der riesigen Aufstiegsrampe.

»Alex!«

Deborah ist zurückgeblieben.

»Ich steige dort nicht hinauf. Es könnte den ganzen Tag dauern. Vielleicht sogar zwei Tage . . . Aber geh du nur.«

»Und wohin gehst du?«

»Zum Tempel der Ischtar. Ich spüre, daß es an der Zeit ist.«

Zum Tempel der Liebe. Der heiligen Prostitution. Einmal im Leben jeder babylonischen Frau ist es Pflicht. Jedes weitere Mal geschieht es freiwillig.

Wahrscheinlich hat Deborah recht. Es ist an der Zeit. Dies wird sie ihrem amerikanischen Ich des zwanzigsten Jahrhunderts wirkungsvoller, unmittelbarer entfremden, als es die Besteigung Babels je tun könnte.

Also trennen wir uns mit einem eigenartig formellen Händeschütteln, gefolgt von einem flüchtigen Kuß. Sie geht davon; und ich beobachte ihr Gehen. Aber selbst, als sie verschwunden ist, setze ich meinen Weg zur Rampe von Babel nicht fort.

Ich stehe da, verrenke mir den Hals, betrachte den Turm. Schließlich kaufe ich mir eine Schale Wein und eine Handvoll reifer Feigen. Ich vertreibe mir eine Stunde lang die Zeit.

Und dann folge ich ihr.

In dem von Bäumen beschatteten Innenhof des Liebestempels warten etwa vierzig Frauen, jede auf einer eigenen gewobenen Matte, mit überkreuzten Beinen oder hochgezogenen Knien, so daß der Schoß ihrer Kleider vor jeder eine Opferschale bildet.

Männer kommen und gehen: inspizieren, wählen, gebieten mit einer Münze. Betreten mit der erwählten Frau den Tempel. Kommen später wieder heraus und gehen ihrer Wege.

Deborah befindet sich nicht im Innenhof; und ich merke, daß ich darüber froh bin. Froh, daß sich die Sache schon erledigt hat? Froh, daß ihr die Erniedrigung einer langen Wartezeit erspart geblieben ist? (Aber wird das hier für eine Erniedrigung gehalten?) Froh, daß sie nicht gesehen hat, wie ich ihr hierher gefolgt bin? Froh um ihret- oder um meinetwillen?

Es wäre besser, wenn sie niemals erführe, daß ich gekommen bin! Ich frage mich, ob ich, indem ich hierherkomme, nicht auf irgendeine Weise versuche, es ihr gleichzutun? Aber das kann ich ja gar nicht; weil ich ein Mann bin. Deborah unterwirft sich heute Babylon; aber es wird bloß eine einzelne babylonische Frau sein, die sich mir unterwirft.

Ich gehe umher, spiele mit einer Münze: keiner allzu großen, damit ich nicht wie ein naiver Tourist wirke, der seinem Glück nicht vertraut, oder wie ein Narr – aber auch keiner allzu kleinen, um nicht den Eindruck zu erwecken, ich wolle beleidigen, sei grausam oder respektlos.

Welche soll ich wählen? Die Frauen warten höflich, geduldig. Sie werfen mir keinen verführerischen Blick oder ein Lächeln zu, als seien sie darauf aus, es so schnell wie möglich hinter sich zu bringen und wieder gehen zu können; als seien sie daraus aus, lieber von Alexander Winter als von jemandem mit Akne, Warzen oder Mundgeruch erwählt zu werden. Sie warten unbeteiligt, graziös. Weder wenden sie ihren Blick ab, noch starren sie mich an.

Diese junge, gebräunte Blondine?

Diese anmutige, sommersprossige Rothaarige?

Diese Negerin, mit Wangen und Armen wie aus poliertem Eben-holz?

Oder soll ich dieses rundliche Hausmütterchen wählen? Oder diese kantige, knochige Dame mit dem Pferdegesicht? Diese beiden sind vielleicht schon die ganze Woche hier, den ganzen Monat, das ganze Jahr. Mit einer von ihnen zu schlafen könnte sich für sie und für mich als eine fremdartige, beunruhigende Erfahrung herausstellen. Schließlich liegt eine gewisse Vertrautheit in der Vereinigung zweier Körper, die solche Dinge gewohnt sind – und auf Vertrautes bin ich nicht aus. Abgesehen davon könnten sich das Hausmütterchen und das Pferdegesicht als vertrauter, wenn schon nicht mit der Liebes-kunst, so doch mit den Sitten Babylons erweisen. Die häßliche Frau könnte im Gegenteil sogar die sinnlichere sein; die Schönheit viel-leicht frigide . . .

Als ich meine Wahl treffe, geschieht das rein zufällig. Aus dem Augenwinkel erhasche ich einen Blick auf Deborah, die gerade aus dem Tempeleingang tritt, begleitet von einem hochgewachsenen, in eine Robe gekleideten, bärtigen Mann, der kaum merklich lächelt und fortgeht.

Die Frau, vor der ich gerade stehe: Sie ähnelt einer Maus. Einer kleinen Maus. Kurzes braunes Haar. Schmale, unauffällige Gesichts-züge. Weder schön noch das Gegenteil.

Ich lasse meine Münze in ihren Schoß fallen. »Du«, sage ich.

Und sie erhebt sich geschmeidig, in der Hand die Silbermünze.

Soll Deborah (die sich gerade über den Hof entfernt) von meiner Wahl halten, was sie will. Falls sie mich überhaupt bemerkt. Sie wirkt zerstreut. Aber vielleicht gibt sie sich auch nur Mühe, mich nicht anzustarren.

Im Inneren des Tempels dringt sanftes Licht durch das hohe Fenstergeschoß. Abgeteilte Kammern reihen sich wie Beichtstühle zu beiden Seiten des ›Kirchenschiffs‹ aneinander. Jene, die besetzt sind, sind mit reich verzierten Vorhängen zugezogen. In jenen, die offen und leer bereitstehen, sehe ich eine Couch, einen Krug mit Wasser, eine Schüssel, ein Handtuch, Wein und Früchte sowie eine kleine brennende Öllampe. Aber zuerst gehen wir zum Altar, um meine Münze in einer großen Silberschale zu deponieren, die schon zahlrei-che andere Münzen füllen, unter einer Statue Ischtars, deren Haar mit Rubinen besetzt ist. Eine alte Frau fegt den Fußboden und pfeift dabei. Eine andere alte Frau bringt saubere Handtücher und Wasser. Gibt es hier überhaupt richtige Priesterinnen? Vielleicht wird jede Frau, die mit einer Münze eintritt, für einige Zeit zur Priesterin. Meine Maus kniet nieder und spricht ein kurzes Gebet in geflüstertem Babylonisch. Worum betet sie wohl? Um Sanftheit von meiner Seite? Darum, daß sie nicht schwanger wird, oder vielleicht um das Gegenteil?

Sie geht vor mir her auf eine offene Kammer zu. Wir treten ein; ich schließe den Vorhang. Im Licht der Lampe einander zugewendet entkleiden wir uns, ignorieren den Wein und die Früchte. Einen Augenblick lang stelle ich sie mir auf einem Elternabend vor; oder beim Kirchgang in Smallville, USA. Statt dessen ist sie die Hure von Babylon. Dann vergesse ich diese Dinge, als unsere Körper sich berühren.

Später: »Warum hast du vor dem Altar gebetet?« frage ich sie.

»Für dich«, antwortet sie. »Für dich.«

Und als ich schließlich gehe und mich durch den belaubten Innenhof entferne, erkenne ich, daß dieser Tempel der Liebe uns etwas über uns selbst beibringt: über unsere geteilten Empfindungen, unsere falschen Höflichkeiten, scheinheilig und heuchlerisch, unsere Egoismen und Illusionen; damit wir am Ende zu Liebe, Zuneigung und Freude finden mögen.

Es ist nicht die Lektion, die ich zu lernen erwartet hatte; und doch glaube ich, daß diese Zerrüttung unserer geordneten emotionalen Bahnen ein notwendiges Stadium auf dem Weg in jene Zukunft ist, die wir vor allem emotional erfassen müssen.

Während meiner kurzen Abwesenheit ist Deborah aus dem Gasthof ausgezogen, ohne eine Adresse oder eine Nachricht zu hinterlassen. Aber vielleicht ist das Ausbleiben einer Nachricht an sich ja schon gleichbedeutend mit einer solchen: die ohne Worte mitteilt, daß es keiner Nachricht bedarf, da wir beide wissen, was vorgeht. Wir müssen auf verschiedenen Wegen voranschreiten, die möglicherweise zum gleichen Ziel führen. Solche Gefühle kann man nicht in einer hingekritzelten Notiz festhalten; das zu tun, würde sie zu einer Lüge, einer Ausflucht machen.

Der Strom der Zeit fließt weiter; aber ich weiß nicht mehr, in welche Richtung er fließt: vorwärts oder in die Vergangenheit zurück.

Vielleicht fließt der Strom der Zeit, wie der Euphrat, im Kreis. Obwohl ich das nicht ganz glaube.

Jetzt befinde ich mich wieder am Palast Nebukadnezars mit seinen breiten, von Säulen getragenen Rängen, drapiert mit den Hängenden Gärten. Ich hatte gedacht, ich würde diese Gärten gemeinsam mit Deborah erkunden, während jeder von uns im grünen Schatten den eigenen grünen Gedanken nachhinge. Aber so, wie es aussieht, haben wir vom ganzen Palast nur die staubigen Antiquitäten des Wunderkabinetts zu ebener Erde an der Nordseite gemeinsam besucht, Kammern voller Ton und Stein.

Dieser Palast stellt selbst für das zwanzigste Jahrhundert ein Wunderwerk dar. Wie mochte er erst vor sechsundzwanzig Jahrhunderten gewirkt haben? Vielleicht war der Palast in Wirklichkeit nur ein ziemlich großer Stufenturm, bepflanzt mit ein paar Bäumen, Topfpalmen und Sträuchern. Aber nein: genauso ist er gewesen, denn so ist er auch jetzt. Außerdem denke ich an den Großen Tempel von Karnak. Oder die Pyramiden. Offenbar haben zu jener Zeit Riesen gelebt; obwohl sie, verglichen mit uns, zweifellos Zwerge waren.

Während ich so von der Straße zu den sieben Terrassen hinaufschaue, wendet und krümmt sich von neuem der Strom der Zeit; und das zwanzigste Jahrhundert, aus dem ich gekommen bin, wird zu einer entfernten Epoche, die lediglich hierher, zu dieser Errungenschaft, geführt hat; unser gesamter künftiger Ehrgeiz und unsere Fähigkeiten gipfeln – in einem Palast des sechsten Jahrhunderts vor Christi Geburt.

Eine breite Marmortreppe führt zur ersten Terrasse hinauf, wo sich Riesenfarne ausbreiten und Fontänen sprudeln. Einige makedonische und persische Soldaten bewachen den Aufgang, hindern aber niemandem am Zutritt. Eine Gruppe vornehmer Damen in reichen Gewändern steht auf halber Höhe schwatzend beisammen, während Bedienstete Federfächer über ihre Köpfe halten. Ein Trio bärtiger Männer in schwarzen Roben und spitz zulaufenden Mützen schreitet tief ins Gespräch versunken herab. Astronomen, Astrologen?

Ich steige hinauf. Ich wandere von einer Terrasse zur anderen und gehe sie entlang: zwischen Palmen, Feigenbäumen, Lorbeerbüschen, Orangen- und Avocadosträuchern, Jasmindickichten, einem Miniaturwald aus Zypressen und kleineren Nadelbäumen, einem Garten mit Sukkulenten. Überall fließen Rinnsale, stürzen als Wasserfälle von Ebene zu Ebene hinab, funkeln als Springbrunnen himmelwärts. Hier steht die Statue einer Sphinx, dort die eines geflügelten Stiers oder Elefanten. Und an der Rückseite jeder Terrasse gewähren Säulenarkaden Zutritt zum eigentlichen Palast.

Ein Gärtner in den Hängenden Gärten Babylons zu sein! Ich habe mehrere bei der Arbeit getroffen. Da ist wieder einer, ein alter, gebrechlicher Mann, der gerade die Fliesen der fünften Terrasse abspritzt, um Staubentwicklung zu vermeiden.

Wir kommen ins Gespräch. Und während wir reden, denke ich die ganze Zeit über: »Er ist als alter, müder Mann nach Babylon emigriert! Macht es ihm nichts aus, daß er hier früher sterben wird? Kümmert es ihn nicht weiter, daß sich die medizinische Versorgung auf dem Marktplatz erschöpft? Bestehend aus Volksweisheiten, Laiendiagnosen von zufällig Vorbeikommenden, aus Kräutersäften? Keine Chirurgie, keine Antibiotika, keine echten Arzneien! Repräsentiert Babylon für ihn einen Todeswunsch? Inmitten dieses zügellosen Pflanzenwuchses – hier in diesen Gärten, die das wahrhaftige Gegenteil von Verfall sind? Wie kann das sein?«

Er hat natürlich bemerkt, wie ich abschätzend seine Falten, die gebeugten Schultern, die Langsamkeit seiner Hände, die Leberflekken auf seiner Haut betrachte. (»Solltest du dich nicht auf irgendeinem Balkon in einen Schaukelstuhl mit einer Decke über den Knien ausruhen, Opa, statt in Babylon zu schuften?«)

Er fängt zu husten an: ein beängstigendes, keuchendes Geräusch.

»Geht es Ihnen nicht gut?«

Er spuckt aus, kratzt den Speichel mit seinen Sandalen fort, dann grinst er.

»Jeder stirbt einmal, junger Mann. Drinnen liegt der König höchstpersönlich im Sterben, und er ist erst dreiunddreißig. Aber bei ihm ist es das Fieber . . .

Hören Sie: Die Zellen eines jeden Körpers erneuern sich nur soundsooft – es gibt eine Grenze, verstehen Sie? Und eine Stadt oder ein Königreich ist nur ein Körper in größerem Maßstab. Wie, wenn die *polis*, der Staat, den gleichen Begrenzungen unterläge wie jeder Körper eines Lebewesens? Die *polis*, die ich verlassen habe«, und ich nehme an, damit meint er Amerika, »die schien an eine Grenze gestoßen zu sein. An ihre Grenze als Körper . . . Denken Sie mal darüber nach.«

Stimmt das? Ist es das, was er hier in Babylon erfahren hat: diese Einsicht, die der Heuristischen Universität so wichtig ist, daß nämlich jeder Gesellschaft eine Begrenzung ihrer Fähigkeit zur Selbsterneuerung innewohnt?

Oder ist er schon mit dem Entschluß, diese Erfahrung zu machen, hierher gekommen, um sich so über seinen eigenen bevorstehenden Fortgang aus dieser Welt hinwegzutrösten?

Seltsame Dinge gehen in dieser Stadt vor; seltsame Bewußtseinsströme werden hier emporgespült, wie von einem vergangenen Mond, der einst über dem ursprünglichen Babylon leuchtete.

»Alexander stirbt«, murmelt er, »aber das liegt nur am Fieber . . .«

Weit unten auf einer der belaubten Terrassen glaube ich über etliche Brüstungen hinweg Deborah vorbeigehen zu sehen. Eigentlich ist die Gestalt zu weit entfernt, als daß ich mir sicher sein könnte; und jetzt wird sie von einem Banyanbaum verdeckt.

»Warum besuchen Sie ihn dann nicht?«

»Besuchen? Wen?«

»Alexander natürlich.«

»Aber . . . er ist der König! Man besucht nicht einfach einen König. Und außerdem liegt er im Sterben.«

Der Gärtner zwinkert mir zu. »Er liegt schon lange genug im Sterben. Muß mit der Zeit langweilig werden. Vielleicht würde er den Besuch eines Landsmannes ja zu schätzen wissen. Schließlich seid ihr Griechen doch angeblich so ein demokratischer Haufen. Na ja, es ist lange her . . . Heutzutage müßt ihr euch erniedrigen, demütigen und das Knie beugen.«

»Wollen Sie behaupten, daß ich Alexander tatsächlich besuchen könnte?«

»Nehme ich an. Sie können auf jeden Fall fragen. Ich, ich bin nur einer seiner Gärtner.«

Es ist unglaublich. Alexander der Große liegt in diesem Palast im Sterben, vielleicht nur hundert Schritt entfernt . . . ich habe es gewußt. Natürlich habe ich es gewußt. Aber ich hätte doch niemals geglaubt, daß er *wirklich* hier ist.

Gibt es ihn tatsächlich? Oder erlaubt sich dieser alte Mann nur einen Scherz mit mir?

»Wenn Sie mir nicht glauben, junger Mann, dann gehen Sie doch einfach zur nächsten Terrasse hoch. Fragen Sie eine Wache.«

»Das tue ich auch!«

Ja. Ja. Und abermals Ja.

Ich werde nach Dolchen durchsucht. Ich werde in ein geliehenes Goldgewand gekleidet, für den Fall, daß meine Kleidung selbst vergiftet sein sollte, oder einfach damit ich vor Alexanders fiebrigen Augen bestehen kann. Man belehrt mich, wie ich mich zu Boden zu werfen und mich ihm auf Knien zu nähern habe.

Flankiert von zwei Wachen (einem Perser und einem Makedonier), die mit kurzen Speeren bewaffnet sind, werde ich von einem Kammerherrn in seine Gegenwart geführt. Überall in diesem Teil des Palastes stehen kostbare Vasen aus poliertem Elfenbein und geschnitzter Jade, Beutestücke aus Indien und ferneren Ländern.

Vor zwei Türflügeln aus geschnitztem Teakholz wird ein Stab auf den Boden gestoßen. Sie öffnen sich und geben den Blick auf einen großen, luftigen Raum frei. Dünne Vorhänge aus Gaze kräuseln sich vor den steinernen Fensterrahmen; doch der süßliche Geruch rührt nicht von Blumen, sondern von Krankheit und Weihrauch her. Oder vielleicht ist es auch nur der Weihrauch, der kränklich riecht. Sein Bett ist groß und golden, mit Klauen und Ballen als Füße und einem Baldachin darüber.

Ich mache auf dem Perserteppich meinen Kniefall; ich krieche.

»Steh auf«, sagt eine matte Stimme.

Und ich erblicke Alexander den Großen, auf weiche Kissen gestützt, in ein mit Drachen besticktes Seidengewand gekleidet, juwelenbesetzte Ringe an den Fingern. Der Herrscher über Babylon.

Er *wirkt* eigentlich nicht krank. Aber leidet er nicht schon seit vier Jahren an diesem Fieber? Er sieht nicht unbedingt aus wie dreiunddreißig – eher wie vierzig –, noch gleicht er einem ungestümen, muskulösen Eroberer. Aber er ist ja auch nur eine Verkörperung Alexanders. Er ist kräftig gebaut und pausbäckig, hat langes, gelocktes Haar und dunkle, traurige Augen, die nichtsdestoweniger von scharfsinniger Intelligenz funkeln: einer Intelligenz, die in Kissen und Krankheit gefangen ist. Hat er nicht Rouge auf den Wangen – und sogar auf den Lippen?

Schalen mit reifen Früchten und Konfekt, Flaschen mit Wein stehen rings um das Bett; Räucherstäbchen brennen. Ich werde an Nero erinnert, an Aubrey Beardsleys Zeichnungen, an Oscar Wilde, an einen Borgia-Papst – Trugbilder aus der Zukunft. Alexander hat sich, wie es scheint, dem Luxus Persiens ergeben. Schriftrollen liegen auf seinem Bett: Landkarten des Weltreichs? Nein, Diagramme, Kritzeleien, Bögen mit kryptischen Symbolen. Alchemistische Schaubilder und Horoskope? Vielleicht. Oder vielleicht Übungen in heuristischer Futurologie.

Was ist er? Was für ein Fieber hat er? Das Fieber des sterbenden zwanzigsten Jahrhunderts, auf der Suche nach dem Elixier der Unsterblichkeit?

Ich frage mich, ob er unter Drogen steht, wie ein Seher oder eine Wahrsagerin.

Ich frage mich, ob er wohl nach einiger Zeit von seinen Wachen – mit einer Überdosis – getötet und durch einen jüngeren ersetzt werden wird, den man dann genauso in halbbetäubtem Zustand hält. Einen Moment lang geht mir der beängstigende, anmaßende Gedanke durch den Kopf: Bin ich der nächste Alexander?

Doch wenn der Körper dieses Königs halb gelähmt und betäubt erscheint, wie steht es dann um seinen Geist?

Er starrt mich an. Seine rougebemalten Lippen bewegen sich.

»Nur wenige kommen, um die Made im Speck zu besuchen . . . Wein!«

Eine Bedienstete verbeugt sich, schenkt ein, nimmt einen Schluck aus dem Kelch; anschließend, da sie sich nicht in Krämpfen am Boden windet, hält sie den Kelch an Alexanders Lippen und neigt das Gefäß für ihn. Mit gierigen Schlucken leert er es. Einige Tropfen laufen an seinem Kinn hinunter, um gleich von der Frau mit einem Tuch fortgewischt zu werden.

»Gesandte, Bittsteller, Magier mit ihren Heilmitteln . . . Was ist deines, Grieche? Was ist dein Allheilmittel für die Welt?«

»Babylon«, sage ich. »Babylon ist das Allheilmittel.« Denn daran glaube ich. Paradoxerweise jetzt, da ich ihn gesehen habe, nur noch fester.

Und nun, als habe der Wein – oder was sich darin befand – die Sehnen seiner Phantasie, die Muskeln seines Geistes entflammt, hebt er mit melodischer Stimme wieder zu sprechen an:

»Man hat uns Geschichten von der Morgendämmerung der Erde erzählt – und von ihrem goldenen Nachmittag, der unserer Ansicht nach im zwanzigsten Jahrhundert oder im dreißigsten oder vierzigsten oder hundertsten zu finden sein muß. Und man hat uns Geschichten vom langen, langen Abend des Niedergangs erzählt. Vielleicht mit gewissen Aufstiegen und Abstürzen zwischendrin: neuer Barbarei, Reisen zu den Sternen, wer weiß?

Aber all das ist Unsinn. Denn es ist immer noch Morgen; und auch in einer Million Jahren wird der Planet noch in seiner morgendlichen Frühzeit sein. Und auch nach einer weiteren Million Jahre. Selbst der frühe Nachmittag wird unvorstellbar anders sein – möglicherweise auf wundersame Weise von Geschöpfen bewohnt, die heute erst wenige Zentimeter groß sind: Bisamratten, Spitzmäuse. Oder von aufrecht gehenden Hunden oder von Vögeln oder von Lebewesen, die wir uns gar nicht vorstellen können, weil ihre Vorfahren noch nicht existieren . . .

Wer kann je die Zeit *spüren*? Wer kann wirklich ihre riesigen Schleifen wahrnehmen. Ah, doch wir haben ein kluges Kunststück vollbracht.

Denn die antike Welt ist offensichtlich älter als unsere. Im Gegensatz zu unserer dreisten Jugend gleicht sie einem alten Mann – obwohl wir länger leben, als jeder andere es damals vermochte. Sie ist der Abend unseres Morgens, denn sie ist uralt.

Wenn wir sie also wieder auferstehen lassen – indem wir die Morgendämmerung der Zivilisation neu beleben, die inzwischen zu Staub zerfallen ist –, vollziehen wir in unserer Psyche, in unserer Seele einen Riesensprung in den Nachmittag, vielleicht sogar den Abend des Lebens. Und so reichen wir über den unbedarften Vormittag des Lebens hinaus – in andere, spätere Stunden der Zukunft . . .«

Ein Schreiber notiert alles, eifrig mit dem Griffel kratzend. Wird man das Gesagte auf dem Marktplatz aushängen? Wird man es im Tempel Marduks laut verlesen? Wird man es die Rampe Babels hinauftragen?

Warum sonst sollte man seine Worte niederschreiben? Wo doch gewiß irgendwo in diesem Raum ein Mikrofon lauscht, eine verborgene Kamera zusieht. Wenn irgendwo, dann hier im Gemach des Königs!

Aber vielleicht gibt es ja nirgends in Babylon verborgene Kameras oder Mikrofone. Selbst mit Hilfe der neuesten, halbintelligenten, mit Unschärfelogik versehenen Computern, die dazu dienen, die Informationsflut zu sondieren, könnte ein Beobachterteam wohl kaum mit alledem fertigwerden, oder?

Vielleicht sondiert die Universität Babylon ganz einfach dadurch, daß sie Beobachter direkt hinschickt (und ich bin auch einer). Aber vielleicht ist andererseits jeder hier in Babylon – jeder Bürger, meine ich – ein Beobachter; und es ist der Strom der Neuankömmlinge, der Anwärter auf die Bürgschaft, der Besucher, die sie auf Veränderungen ihres Verhaltens hin beobachten – auf Anzeichen von Verwirrung, Einsicht, psychische Krisen, Erleuchtung.

Und vielleicht ist Babylon in seiner unsystematischen, aber rückhaltlosen Übernahme antiker, fremdartiger Sitten zur ersten *polis* in der Weltgeschichte geworden, die sich ihrer selbst bewußt ist: ihrer selbst bewußt über die Grenzen von Zeit und Raum hinaus. Wie es nirgendwo sonst möglich ist. Ein kommunales Gehirn. Vielleicht ist Babylon selbst der Computer, zusammengesetzt aus lauter menschlichen Wesen.

Alexander läßt sich wieder in seine Kissen zurücksinken, erschöpft und ausgelaugt. Er schließt die Augen; ich sehe, daß seine Lider kohlgeschwärzt sind. Der Kammerherr zieht mich am Ärmel, zwingt mich zu Boden. Die Audienz ist beendet. Gemeinsam bewegen wir uns auf Händen und Knien rückwärts aus dem Zimmer.

Meine Gedanken kreisen, mein Gehirn murmelt dumpf vor sich hin – unsicher, ob ich im Schlafgemach meines Namensvetters Zeuge einer profunden Wahrheit oder einer wilden Torheit, einer grandiosen Geste der Verzweiflung geworden bin. Ich stolpere aus dem Palast und werde von den Wachen höflich, aber bestimmt zu den Gärten der sechsten Terrasse zurückbegleitet.

Schließlich, Tage später, stöbert mich ein Bote – ein dicker, eifriger kleiner Mann – im Gasthof auf.

»Es ist Zeit«, sagt er. »Heute.«

Ich starre ihn verständnislos an. »Heute? Aber natürlich ist Heute. Es ist immer Heute. Es kann ja kaum Morgen oder Gestern sein!«

»Es ist *Zeit*«, sagt er wieder.

»Zeit wofür? Ich werde heute Babel ersteigen.«

»Der Rest Ihrer Gruppe hat sich heute bei Morgengrauen am Tor zurückgemeldet. Ihretwegen müssen sie warten. Die Frau Deborah sagte, Sie wären vielleicht noch hier. Sie hätten es vergessen.« Er zögert, dann flüstert er in einer fremden Sprache, auf englisch: »Das Luftkissenfahrzeug. Um Sie zur Universität zurückzubringen. Für Nachbesprechungen. Entscheidungen.« Eine tote Sprache. Tot, weil sie noch nicht geboren wurde.

Doch ich gehe mit ihm.

Während wir durch die frühmorgendlichen Straßen Babylons in Richtung des Ischtartors gehen, frage ich mich: Hätte ich die Unterkunft wechseln sollen? Hat es mir irgendwie an Initiative gefehlt? Aber es ist klar, daß ich zur Universität zurückkehren muß. Um Babylonisch zu lernen. Um im Schnellernverfahren mit der eigentlichen Sprache der Stadt gefüttert zu werden. Sonst würde ich hier ja für immer ein Fremder bleiben, ein Grieche.

Ist das der Grund, warum sie uns anfangs Griechisch beibringen? Um sicherzustellen, daß wir zuerst als Fremde ankommen und stets wenigstens eine Erinnerung an unsere Fremdheit zurückbehalten? Sonst könnte es sein, daß wir völlig untergehen, sobald wir das Tor durchschreiten. Wie lange verloren geglaubte Verwandte, die endlich heimgekehrt sind, wie Menschen, die unter Amnesie gelitten haben und plötzlich ihr Gedächtnis wiederfinden. Oder wie Geisteskranke, von denen sich unvermittelt die Schleier des Wahnsinns gehoben haben . . .

Als ich am Luftkissenfahrzeug ankomme, setze ich mich gleich neben Deborah.

»Du hast den Gasthof verlassen«, erinnere ich sie, »wohin bist du gegangen?«

Zuerst klingt ihre Stimme kühl, distanziert. »Ich? Ich habe mich entschlossen, auf Babel zu wohnen. Oben im Turm zu Babel.«

»Der einzige Ort, der mir entgangen ist!«

»Es entgeht einem immer etwas, Alex.«

»Ich könnte sagen, du seist mir entgangen . . .«

Sie runzelte die Stirn, und ich beeile mich, hinzuzufügen: »Aber wie könnte ich das? Ich wußte nicht einmal, wer du warst – bis du es für dich selbst herausgefunden hast.« Das hört sich beleidigend an, ist es aber nicht; und sie nimmt es auch nicht so.

»Und hast du es auch herausgefunden, Alex? Wer du bist?«

»Ich denke schon.«

Jetzt lächelt sie.

Ich bin sicher, daß wir nun endlich eine richtige Beziehung zueinander haben. Aber es ist eine Beziehung, die wir Babylon verdanken.

»Eines Tages«, verspreche ich ihr, »werde ich auf dem Heiratsmarkt für dich bieten.«

»Wenn du reich genug bist, Alex.«

»Das werde ich sein. Ich werde reich an etwas sein, auch wenn es kein Geld ist.«

»Wird es nicht interessant sein«, bemerkt sie, »wenn immer mehr Kinder in Babylon geboren werden, deren Muttersprache Babylonisch ist? Kinder, die nicht mehr als ein paar Brocken Griechisch lernen, und auch das nur mühsam? Kinder, die nie etwas von der englischen Sprache gehört haben?«

Und ich nehme an, dies ist eine Art Versprechen ihrerseits.

Unter Motorengebrüll hebt das Luftkissenfahrzeug geschmeidig vom Boden ab und dreht, um sich in einer Staubwolke nach Norden zu wenden. Der Ödlandteil, der zum Ischtartor hin ausläuft, erweitert sich schnell. Schon bald rasen wir die verlassene Straße entlang durch die Wüste Arizonas.

Wenn ich den ersten Saguaro-Kaktus sehe, werde ich wissen, daß wir uns an einem anderen Ort befinden. Einem namenlosen Ort.

Denn kein Name kann sich mit dem Namen des Großen Babylon messen.

»Sie kürzen unser Budget um fünfzig Prozent«, verkündete Sam Dexter einem Konferenzraum voll besorgter Mienen. Er schlug die Hand entschieden nach unten, als würde er mit einem Hackmesser einen Apfel zerteilen. »Für die Wissenschaft werden zuviel öffentliche Gelder ausgegeben. So lautet die neue Politik. Sie alle wissen das. Und es kommt, wie es kommen muß: zack, zack, zack. Ehrlich gesagt bin ich überrascht, daß wir *bis jetzt* überlebt haben. Ich glaube nicht, daß es übermäßig prahlerisch ist, wenn ich behaupte, daß . . .«

»Sie uns verteidigt haben wie eine Wölfin ihre Jungen.« Dr. Marion Kurtz beendete den Satz für ihn, etwas anders, als Sam ihn beendet hätte, aber nichtsdestotrotz befriedigend genug für sein Ego.

»Und was machen wir jetzt?« erkundigte sich Dr. Xerxes Ritsos. »Einen halben Satelliten hinaufschicken? Ihn nur auf halbe Höhe schießen?«

»Gentechnologie mit einfacher Helix betreiben?« fragte Dr. Kurtz. Auch andere riefen dazwischen.

»In Ordnung, es gibt eine ganze Menge miteinander wettstreitender Interessen in diesem Zimmer: Raumfahrt, Sozialwissenschaft, Biologie, theoretische Physik. Anscheinend kann man fünfzig Prozent der Programme durchführen und sich den Rest schenken. *Aber*«, und Sam hob die Hand, um dem anschwellenden Murmeln zu begegnen, »das mag die reizende Antwort der Regierung sein. Meine ist es nicht. Ich will *nicht*, daß diese Stiftung sich gegenseitig mit Zähnen und Klauen zerreißt, um den halben Braten zu bekommen, der noch übrig ist. Ich selbst bin kein Spezialist, deshalb habe ich auch kein spezielles Messer zu wetzen. Jeder von Ihnen ist gleichermaßen wertvoll für mich und die Stiftung. Die Arbeit von Ihnen allen und Ihren Abteilungen – ob sie nun fünfzig Leute enthalten oder nur zwei – zählen aus meiner Sicht gleich viel. Ich will keine Diskussion darüber haben, wer dran glauben muß, um die übrigen zu retten. Gewiß, ich könnte es so halten. Das erwartet die Regierung ja von mir. Aber ich werde es nicht. Der ausschlaggebende Punkt dieser Stiftung ist ihre interaktive, *zusammenwirkende* Struktur.«

Mark Bernstein von der Wirtschaftsplanung erhob sich – und tat damit etwas mehr, als bloß seine Hand zu heben, wie so viele andere es taten.

»Das ist sehr idealistisch gesprochen, Sam. Ich bin sicher, wir alle schätzen Ihre Absicht. Aber der Wirtschaftskrieg hat unsere Heimatfront erreicht. Sollten wir nicht mit dem Geschäft der *triage* beginnen?«

»Was ist eine *triage*?« fragte Dr. Ritsos, der argwöhnte, daß aus dem Verborgenen heraus ein mächtiges Werkzeug zum Einsatz kommen sollte, von dem er nichts wußte.

»Ein französisches Wort. Heißt soviel wie ›sortieren‹. Im besonderen bedeutet es, die Verwundeten rationell in jene zu unterteilen, die ohne Pflege überleben können, in jene, die durch medizinische Hilfe gerettet werden können, und in jene, die man nur zum Sterben auf die andere Seite zu drehen braucht. In Ermangelung von Mullbinden, Geld oder was weiß ich sonst noch.«

»*Nein*«, sagte Sam. »Das ist genau mein Punkt. Diese Regierung spielt ›Teile und Herrsche‹. Und worauf ich hinaus will, ist, wir überleben alle gemeinsam. Sagen Sie, Mark, wie lautet Ihre ehrliche Einschätzung der neuen Wirtschaftspolitik?«

Mark lächelte schwach.

»Nun, sie ist von Großbritannien entliehen. Also haben wir dort ein lebendes Beispiel. Das Ergebnis: der Zusammenbruch der Industrie und nahezu sieben Millionen Arbeitslose. Die faktische Zerstörung eines funktionierenden Landes – nicht durch die rote Bestie, den Sozialismus, sondern durch eine konservative Regierung. Sie predigen in Wirklichkeit eine Mentalität der Bestrafung. ›Ihr werdet alle eure Medizin nehmen, selbst wenn sie euch vergiftet.‹ Das atmet den Tod jeder Initiative, Hoffnung und Forschung.«

»Und?«

»Und vielleicht wird das gleiche hier geschehen.«

»Vielleicht?« rief Marion Kurtz sarkastisch. »Es geschieht gerade jetzt. Grundlagenforschung ist *wesentlich* für die Zukunft.« Sie warf Paul de Leuw von der winzigen Abteilung für Theoretische Mathematik einen raschen Blick zu. »Selbst wenn es manchem ziemlich bekloppt vorkommt. Oder sagen wir nebensächlich.«

Paul vergalt es ihr mit einem schwachen Grinsen.

»Man darf das Budget für die Grundlagenforschung nicht wegen eines wirtschaftlichen Dogmas vom Gürtelengerschnallen kürzen«, fuhr sie fort. »Ich meine, das ist schon okay, nehme ich an. Gentechnologie ist eben ein Boomgeschäft. Aber ich stimme Sam zu. Prinzipiell muß ich die Art von Spielen, die Paul spielt, mit Geometrie oder Topologie oder was auch immer, verteidigen.«

»Sie brauchen diese Spiele gar nicht so energisch zu verteidigen«, warf Xerxes Ritsos ein. »Denn wie Sie schon sagten, es geht ja nicht um *Ihren* Kopf. Als können Sie es sich erlauben, großzügig zu sein. Aber ich, ich würde nie auch nur eine Antenne von der neuen Weltraumsonde opfern – für ein neues Konzept der Unendlichkeit oder der siebten Dimension!«

»Meine Arbeit läßt sich durchaus für die Weltraumfahrt nutzen«, sagte Paul sanft.

»Oh sicher. Für Reisen im *Hyperraum*. Sie entdecken eine Art Raum, der ›höher‹ als der übliche Raum ist. Sie dringen in die achtzehnte Dimension ein und tauchen fünf Minuten später am nächstgelegenen Stern wieder auf. Wie nahe sind Sie denn einem Durchbruch?« erlaubte sich Ritsos verächtlich zu fragen.

»Nun, ich hatte nicht vor, das zu einem Krisentreffen werden zu lassen. Aber tatsächlich glaube ich, daß es möglich sein könnte – ich meine, es läßt sich mathematisch nicht völlig ausschließen, wenn man eine ausreichende Menge an Energie aufbringen könnte, um die zugrundeliegende topologische Struktur der Raumzeit einige wenige Mikrosekunden lang – daß sozusagen die Raumzeit-Matrix . . .«

»Was Sie reden, ist Quark.«

»Nein . . .« Paul fuchtelte mit den Händen, aber er hatte keine Kreide dabei und es war auch keine Tafel in der Nähe.

»Und was würde uns das bringen? Die Nullzeit-Reise von der Erde zum Mars?«

Paul krauste die Stirn.

»Es *könnte* uns gelingen, eines Tages ein Kraftfeld zu erschaffen, das links in rechts verwandeln kann. Ich meine, wir könnten einen Handschuh in das Kraftfeld hineinwerfen, und er würde verkehrt herum wieder herauskommen – mit dem Daumen auf der anderen Seite.«

»Großartige Sache zum Trampen, eh? Ich schätze, einige von uns werden dazu schon bald Gelegenheit haben.«

Paul blieb standhaft.

»Nämlich durch die Rotation in einer höheren Dimension. Oder wir könnten eine Maus rotieren lassen, so daß ihr Herz dann auf der anderen Seite und ihre linken Fellflecken rechts wären.«

»Nett. Sehr nett. Genau, was die Welt immer wollte: einen Maus-Umkehrer. Sagte nicht einmal jemand: ›Baue einen besseren Maus-Umkehrer, und die Welt wird es dir danken‹? Ich sehe gesicherte Verkäufe an die Armee voraus. Kehrt die gesamte Infanterie um, und der Feind wird direkt ins Herz zielen – und es verfehlen.«

Jeder lachte – mit Ausnahme von Sam Dexter und MacDonald Carr von der Geophysik, der mit seinen Händen spielte, sie wendete, übereinander legte.

»Ich begreife nicht, wovon Sie überhaupt reden«, erwiderte Carr verärgert.

»Tut mir leid, Mac. Es ist eigentlich ganz einfach.«

Paul riß ein Blatt Papier von einem Notizblock, zog eine kleine Maniküreschere aus der Tasche und schnitt das Papier zurecht, bis es die Form einer Hand hatte. Er strich es auf dem Tisch glatt.

»Nennen wir dieses Etwas Mr. Linkshand. Stellen Sie sich vor, seine Welt ist vollkommen flach. Stellen Sie sich vor, sie hat nur zwei Dimensionen: Länge und Breite. Aber keine Höhe. Nun, Mr. Linkshand kann sich ganz frei auf seiner Welt bewegen, solange er nicht auf irgendwelche Hindernisse stößt.« Paul demonstrierte es, indem er vor das Stück Papier einen Bleistift legte. »Denn offensichtlich kann er nicht über sie hinwegklettern. Und er hat keine Möglichkeit, sich in einen Mr. Rechtshand zu verwandeln. Außer«, und Paul drehte die Papierhand um, »indem er sich durch eine dritte Dimension bewegt: die Höhe. Jetzt ist er Mr. Rechtshand. Doch *wir* leben bereits in einer dreidimensionalen Welt. Sie haben auf ihrer linken Wange diese Narbe, Mac. Könnte sie je zu einer Narbe auf Ihrer rechten Wange werden? Keine Chance – außer Sie werden in einer höheren, vierten Dimension umgekehrt.«

»Faszinierend«, sagte Carr. »Aber könnten wir jetzt bitte mit dem Geschäft . . . des Überlebens weitermachen?«

»Wäre es nicht wirklich *cool*, wenn . . .«, murmelte Bernstein. Aber er verstummte.

»Was wäre wirklich cool?« bedrängte ihn Sam.

»Oh, ich habe gerade an die wirtschaftspolitischen Reden unseres geliebten Häuptlings gedacht. Im besonderen an die Rede gegen die

Wende letzten Monat in Syrakus. Er lieh sich die Phrase natürlich von der Britischen Premierministerin. Sie gebrauchte sie seinerzeit, als jeder sie anflehte, eine wirtschaftliche Umkehr vorzunehmen und Geld in die Industrie und Forschung und Öffentlichkeitsarbeit zu stecken. ›Die Lady ist gegen eine Wende‹, hieß es. Sie lieh sie sich ihrerseits von einem Theaterstück namens *Die Lady ist gegen das Verbrennen*. Ich dachte gerade, wie cool es wäre, wenn wir die Dreistigkeit hätten, den Präsidenten und seine Politik einfach umzukehren, indem wir ihn durch Pauls höhere Dimension schicken . . .«

Erneut lachten alle. Außer Sam Dexter.

»Könnten wir das denn?« meinte er. »Könnten wir das? Wenn Sie es für möglich halten, dieses ›Kraftfeld‹ einige Mikrosekunden lang aufzubauen . . . könnten wir dann«, und er sah nur wenig überrascht aus, »möglicherweise eine rechtsorientierte Maus – oder einen Politiker – in eine linksorientierte, liberale Maus verwandeln? Oder einen Politiker.«

»Sie sollten mit solchen Sachen vorsichtig sein«, rief Ritsos. »Der Papst könnte in ihr Kraftfeld geraten – und als Antichrist wieder auftauchen! Hä, hä. Aber zuerst, *fangen Sie Ihre Maus*.«

Sam schürzte die Lippen.

»Oh, ich glaube, das wäre möglich. Ein Besuch des Präsidenten steht nicht außer Frage. Man zollt uns einen gewissen Respekt. Man könnte es auch als einen Handel bezeichnen. *Wir* schlucken unsere Medizin. *Er* kommt und klopft uns auf die Schulter.«

»Aber Sam«, protestierte Lara Davis von der Ozeanographie, »das hieße Zeit zu vertrödeln, während Rom brennt. Es ist schlimmer als das! Sie schlagen ernsthaft vor, daß Paul *mehr* als jeder andere vom Budget abbekommen soll – um eine, ja was, eine Maus-Umkehr-Maschine zu bauen?«

»Einen Hochdimensionsoszillator«, berichtigte Paul schroff.

»Nennen Sie's, wie Sie wollen! Es ist ein absurder Witz. Ist das *wirklich* Ihre Absicht: zu zeigen, welchen Wahnsinn die Politiker uns aufzwingen können? Sie meinen: Wenn sie mit unserer rechtmäßigen Forschung Schindluder treiben, könnten wir ebensogut einen Maus-Umkehrer entwickeln? Sie wollen dieses verrückte Projekt durchsetzen und es dann zu den Medien durchsickern lassen? Als eine Art psychologische Kriegführung – ist es das?«

Sam brachte sie mit einer gewohnheitsmäßigen Handbewegung zum Schweigen.

»Egal, was ich vorhabe, Lara, bitte denken Sie daran, daß ein um fünfzig Prozent gekürztes Budget bedeutet, daß *entweder* die Hälfte von uns ein Jahr lang arbeiten kann – oder wir alle nur sechs Monate lang arbeiten können. Was, wie der kluge Dr. Johnson einst bemerkte, übrigens ein Mann, den man zum Tod durch den Strang verurteilte, ein Gedanke ist, der unsere Geister auf wundersame Weise zusammenführen sollte. Paul, ich möchte innerhalb von sechs Wochen eine umgekehrte Maus sehen. Alle anderen: Sie bringen soviel Hilfe und Kenntnis ein, wie Sie können. Aber wir werden das unter Verschluß halten. Verstanden? *Absolut* unter Verschluß. Nur die Abteilungsleiter brauchen zu wissen, was wirklich vorgeht. Nur die Leute in diesem Raum.«

Die Versamlung brach in gehörigen Tumult aus.

Acht Wochen später versammelten sich Sam Dexter und alle Abteilungsleiter in einem großen, nur spärlich von Leuchtstoffröhren erhelltem Zimmer im Kellergeschoß, durch das sich Kabel – so dick wie Pythons – schlängelten, die eine von Spiegeln und Linsen strotzende Apparatur speisten. Sie sah aus wie das Glasskelett eines urzeitlichen Dinosauriers, der seinen eigenen Schwanz zu verschlingen versuchte. Oder wie eine Anzahl miteinander verbundener geometrischer Theoreme, die man zu einem Kristallmodell zusammengefügt hatte.

»Das würde dem Museum für Moderne Kunst gefallen«, sagte Bernstein ironisch.

Im Zentrum der Anordnung stand ein Kasten mit geöffneter Plexiglashaube, in der eine weiße Ratte schnüffelte und scharrte. Es war eine weiße Ratte – aber die gesamte linke Seite ihres Körpers war schwarz eingefärbt worden. Also sollte man sie vielleicht eher als eine schwarzweiße Ratte bezeichnen . . .

Paul zog die Ratte am Schwanz heraus und murmelte besänftigende Worte und setzte sie auf einer nahegelegenen Bank in einen der besten Irrgärten, den die Psychologen jemals gebaut hatten. Eine Videoanzeigetafel dokumentierte blitzschnell, ob die trainierte Ratte sich nach links oder nach rechts bewegte, bis sie ihr Ziel erreicht hatte: einen Klumpen stinkenden Gorgonzolakäses. Paul holte die Ratte hastig zurück, ehe sie ihren Appetit stillen konnte, und ließ sie wieder in den Plexiglaskasten fallen.

»Wie ich sehe, haben Sie bereits eine Maus in eine Ratte verwandelt«, bemerkte Ritsos.

»Eh? Oh. Ratten behalten Irrgärten besser im Gedächtnis«, sagte Paul. »In Ordnung. Treten Sie hinter die weiße Linie zurück. Fertig? Dann los.«

Sämtliche Spiegel und Linsen schienen auf einen Schlag aufzuleuchten, voll mit Augenblicksbildern von Ratten, zu flüchtig, um sie genau erkennen zu können. Etwas zerrte kurz an den Eingeweiden der Zuschauer. Das Gefühl von Seekrankheit stellte sich ein, von Ameisen im Magen. Dann war es vorbei.

Im Inneren des Plexiglaskastens witterte eine verblüffte Ratte mit gesträubten Barthaaren immer noch nach dem Gestank des Gorgonzolas in der Luft. Ihre gesamte rechte Seite war schwarz.

Triumphierend hob Paul die Ratte hoch und setzte sie in den Irrgarten.

Sie traf ihre Wahl exakt andersherum als beim vorigen Mal. So sehr sie es auch versuchte, gelangte sie doch niemals in die Nähe des Käses.

Sam lächelte grimmig.

»Und jetzt zum Großen Käse«, sagte er und rieb sich die Hände. »Wir schildern dies dem Weißen Haus als ein Modell für, äh, einen bestimmten Strahlenwaffenaufspürsatelliten – basierend auf neuen mathematischen Erkenntnissen. Nein, warten Sie einen Moment, ich habe eine bessere Idee: ein Superbildverstärker, mit dem man durch das Einfangen eines einzigen Lichtteilchens ausspionieren kann, was tausend Meilen weit unter einem geschieht. Denken Sie sich einen Namen für ihn aus.«

»Wie wär's mit Projekt Gorgonzola?« schlug Bernstein mit glänzenden Augen vor.

»*Das* gefällt mir.«

Agenten des Secret Service waren an diesem Morgen im gesamten Gebäude ausgeschwärmt und hatten sich anschließend in Erwartung des Präsidentenbesuches neben Türen und Kaffeeautomaten postiert.

Als Sam die Begleitung des Präsidenten ins Kellergeschoß hinunterführte, befand er, daß er den kurzen Abstecher recht ansehnlich orchestriert hatte. Die Abteilungsleiter hatten, mit lächelnden Mienen, sämtlichen Stellungnahmen des Präsidenten über die Beschneidung des Budget unterwürfig zugestimmt.

Gut und gern zehn Abteilungsleiter folgten Sam und Paul und dem Präsidenten und seinen Gehilfen und Agenten auf dem Fuße.

Der Apparat war erfolgreich mit einer Einstellvorrichtung versehen worden, die dem zentralen Brennpunkt des Dimensionenrotationskraftfeldes einen erheblich größeren Raum zukommen ließ.

»Wenn Sie bitte einmal nähertreten möchten, Sir«, sagte Sam zum Präsidenten. »Wir haben hier in natürlicher Größe das Modell eines Gerätes, das die bisherige geologische Rundsichtradarüberwachung über Schlechtwettergebieten – selbst bei ständiger Bewölkung – revolutionieren könnte, wenn man es in eine tausend Meilen hoch gelegene Umlaufbahn bringen würde . . .«

Der Präsident lächelte anerkennend.

»Überall in diesem großartigen Land zeigen mir zahlreiche Ihrer Kollegen die schönsten Sachen. Aber Sie wissen, es gibt nur eine gewisse Menge Kuchen, den wir verteilen können – und der *Kies* für diesen Kuchen kommt von den Steuerzahlern . . .«

Sam war sich nicht sicher, ob dem Präsidenten ein Wortspiel mißglückt war oder er einfach nur seine Unkenntnis im Backen gezeigt hatte.

Dann wurde dem Präsidenten erst richtig bewußt, was Sam gerade gesagt hatte.

»*Radarüberwachung*, sagten Sie? Aus dem Orbit? Sie meinen, es kann durch Wolken sehen?«

»Gewiß. Es sammelt die letzten Reste Licht, die durch die Wolken vom Boden oder durch eine dichte Dschungeldecke reflektiert werden und . . .«

»Es kann aus tausend Meilen Höhe durch den Dschungel sehen?« Der Präsident lächelte über die Naivität der Wissenschaftler. »Dieses Ding könnte also, äh, dazu benutzt werden, Truppenbewegungen im dichten Dschungel zu fotografieren?«

»Man könnte von jemandem um Mitternacht im guatemaltekischen Dschungel eine Nahaufnahme machen«, gab Sam zu. »Ich meine, wenn man das wollte. Treten Sie bitte hier herüber, Sir. Ich zeig's Ihnen.«

Es gab einen kurzen, irritierenden Blitz, ein Aufleuchten von Bildern, ein Zerren in den Eingeweiden aller, die sich gerade im Laboratorium befanden. Doch noch während der Agent des Secret Service vorwärtssprang, war schon offensichtlich, daß niemand zu

Schaden gekommen war. Der Präsident stand immer noch über den Apparat gebeugt.

Er drehte sich um.

Aus Sams Sicht hatte er sich kaum verändert – seine Anzugjacke war nun auf der anderen Seite zugeknöpft. Einer der scharfsichtigen Gehilfen blinzelte, rieb sich die Augen, schüttelte den Kopf – und gab es dann schnell auf, sich über den Anflug von Fremdartigkeit zu wundern, der ihn berührt hatte, da der Präsident doch offenbar der gleiche Mann war wie noch vor einem Augenblick.

Der Präsident selber legte seine Stirn in Falten. Er berührte einen Anzugknopf. Er spähte zu den Gesichtern seiner Gehilfen hinüber. Er sah sich um, als wollte er eine Frage stellen, hielt sich aber rechtzeitig zurück. Er bemerkte den Luftwaffenoffizier mit dem nuklearen Startkode, der an einer Kette von seinem Handgelenk hing, und nickte nachdenklich – reumütig, wie es schien.

»In Ordnung, Leute, gehen wir«, sagte der Präsident. »Es ist Zeit für meine große Ansprache.«

»Was murmeln Sie da vor sich hin, Paul? Sie sollten eher entzückt davon sein.«

»Ich dachte gerade an eine andere Lösung der Gleichung, Sam.« Den Blick zur Tafel gewandt, ging er hinüber und begann mit Kreide darauf zu schreiben. »Da ist eine falsche Unendlichkeit, die ich nicht weiter beachtet habe. Aber sie stürzt in eine endliche Lösung zurück, wenn man dieses Lambda *hier* einführt . . .«

Paul schrieb eine neue Gleichung hin und summte dabei wie ein Kühlschrank.

»Und was bringt uns das?« fragte Carr ungeduldig.

»Oh, nur eine andere Interpretation. Sehen Sie, statt daß unser Gegenstand bloß in einer höheren Dimension rotiert, wodurch sich rechts und links umkehren, könnte man *möglicherweise* sagen, daß sich gleich nebenan ein ganzes spiegelbildliches Universum befindet – wo alles hundertprozentig genauso ist, aber einen anderen Wert aufweist – und daß das Rotieren in Wirklichkeit bedeutet, unsere Gegenstände hier mit dem Spiegelbild unserer Gegenstände dort zu vertauschen. Sie dürften die gleiche Masse besitzen, so daß weder Materie abgezogen noch hinzugefügt wird.«

»Unsinn«, sagte Xerxes Ritsos. »Wenn alles einen anderen Wert aufweist, müßte es ja ein Antimaterie-Universum sein. Also müßte alles, was hierhergebracht wird, zerstört werden. Mir ist nicht aufgefallen, daß der Präsident explodiert wäre.«

»Nein, es ist keine Frage der Ladung der Partikel«, beharrte Paul und tippte auf die Tafel. »Es ist . . .«

»Aber sehen Sie doch mal«, warf Carr ein. »Die Ereignisse in Ihrem Spiegeluniversum müßten *exakt* die gleichen sein wie die Ereignisse hier. Stimmt's?«

»Nein, nein. Sie bräuchten nicht exakt miteinander zu korrespondieren. Ich meine, offenbar hätte uns auch der Präsident im Spiegeluniversum besucht – aber aus einem anderen Grund. Und der Apparat in diesem Raum könnte einem anderen Zweck dienen, selbst wenn er im wesentlichen gleich aussähe.«

»Quatsch!« schnaubte Carr.

Die drei Männer stritten weiter, bis Sam sie aufforderte, endlich den Mund zu halten.

»*Ich* sage, wir sollten hinaufgehen und eine Flasche Champagner aufmachen. Rufen wir die ganze Bande zusammen. Ich nehme an, wir können uns jetzt einen Champagner leisten.«

Die darauffolgende Feier in Sam Dexters Büro entwickelte sich zu einer ausgewachsenen Party.

Am Höhepunkt der Party schaltete Marin Kurtz den Wandbildschirm ein.

Der Präsident erschien, auf einem Podest in Pasadena stehend. Sein umgekehrtes Gesicht spähte ins Publikum. Neben ihm saß der Außenminister.

»Bäh!« rief Xerxes Ritsos beschwipst.

Einige andere begannen spontan zu klatschen.

»Ruhig, Leute!« rief Sam Dexter. »Hören wir, wieviel Geld er in die Forschung stecken will.«

Im Zimmer wurde es still. Marion drehte den Lautstärkeregler auf.

». . . eine Rede vorbereitet, aber ich werde sie nicht halten, liebe Mitbürger. Ich werde über etwas sehr viel Wichtigeres zu Ihnen sprechen – über unsere Sexualität.«

»Heiliger Strohsack«, sagte Lara Davis leise.

»Ich dachte, wir könnten unsere Welt hinsichtlich des Bevölkerungsproblems – und des ganzen aggressiven Machokrams – unter meiner Führung völlig neu einrichten. Aber hier sehe ich schon wieder einen weiteren Haufen von euch herumhängen und die gleichen alten reaktionären Höhlenmenschenrollen abspulen.«

Ein Flüstern der Erheiterung und plötzlichen Erregung erhob sich unter den Zuschauern. Die Reihe der Secret-Service-Agenten, die darauf trainiert waren, auf nichts zu achten, was hinter ihrem Rücken vorging, beugte sich wachsam vor; ihre Hände glitten zu den Innentaschen.

»Es scheint nur in dieser Gegend so zu sein«, fuhr der Präsident fort. »Ich habe die warnenden Hinweise seit dem frühen Nachmittag bemerkt, und seither ist es immer schlimmer geworden. Deshalb möchte ich jetzt, wo ich weiß, daß man mich überall in diesem großen Land hören kann, eine Warnung an euch richten.

Die Zeiten, als Männer noch Männer und Frauen noch Frauen waren, sind *ein für allemal* vorbei. Ich sage dies als euer gewählter Präsident: der erste schwule Präsident dieses Landes, und gewiß nicht der letzte.

Wie Sie alle nur zu gut wissen, besteht mein gesamtes Kabinett aus Schwulen.

Aber für den Fall, daß ein paar altmodische Seelen diese simple Tatsache vergessen haben sollten, möchte ich Sie noch einmal plastisch daran erinnern.«

Der Präsident wandte sich mit einem scheuen Lächeln auf den Lippen vom Podium ab. Durch ein Krümmen des Zeigefingers gab er dem Außenminister ein bescheidenes Zeichen – der ohnehin schon auf den Beinen war, mit einer Miene, die man vielleicht, aber nur vielleicht, als einen Ausdruck bewundernder Liebe mißverstehen konnte.

»Haß ist nicht möglich«, sagte der Präsident, »in einer Welt, wo alle Männer sich lieben.«

Er trat einige Schritte vor und küßte den Außenminister kräftig auf die Lippen.

In einem unwillkürlichen Reflex schlug der Außenminister dem Präsidenten in die Magengrube.

Das Babel der Empörung aus dem Publikum verstärkte sich, als der Präsident sich krümmte. Hastig zogen die Agenten ihre Pistolen, deuteten hierhin und dorthin, während die eine oder andere Person aufsprang.

Jetzt war der Präsident in die Knie gegangen, schwang vor und zurück wie ein Moslem beim Gebet.

Der Außenminister starrte verdutzt auf das, was er angerichtet hatte, dann auf seine Faust.

»Mein Gott, Sir, ich bin . . . äh, ich bin . . . Nun, ich meine . . .«

Schmerzerfüllt zog sich der Präsident hoch und richtete sich auf.

»Sie sind *anders*, Herr Außenminister«, keuchte die Präsidentenstimme. »Ich habe das schon immer vermutet. Sie sind gar nicht schwul! Sie sind nicht wie der Rest von uns. Sie haben noch nie in ihrem Leben einen Mann geliebt. Sie sind gefeuert!«

Der Außenminister zuckte zusammen.

»Sie *können* nicht der Präsident sein!« schrie er zurück.

»Auf keinen Fall sind Sie das. Sie sehen verdreht aus. Schon als Sie hier eintrafen, dachte ich, daß Sie ein bißchen verdreht aussehen. Sie sind ein Doppelgänger. Sie sind ausgetauscht worden. Man hat den Präsidenten durch Sie ersetzt! Um uns glauben zu machen, der Präsident sei verrückt geworden. Um so vielleicht einen Nuklearangriff vorbereiten zu können!«

»Ich bin der gewählte Präsident der Vereinigten Staaten«, erwiderte der Präsident entschieden. »Und ich bin schwul, und ich bin stolz darauf.«

Sam Dexter trat ans Fernsehgerät und stellte den Ton ab. Er wandte sich der schweigenden kleinen Gruppe zu.

Nach einem kurzen Stoßgebet sagte er: »Ich glaube nicht, daß wir einen mordsmäßigen Futurologen unter uns brauchen, um vorauszusagen, was jetzt geschehen wird. Schon bald werden sich die Leute zu fragen beginnen, *wo* genau der Präsident denn nun ausgetauscht wurde. Wir können von Glück reden, wenn sie zehn Minuten benötigen, um auf die richtige Antwort zu kommen.«

MacDonald Carr packte Paul am Kragen.

»Okay, Klugscheißer, du hast uns da reingebracht!«

»Könnten wir das nicht gleich wieder in Ordnung bringen und ihnen anbieten, den Präsidenten zurückzuverwandeln?« erkundigte sich Marion vermittelnd.

»Oh, gewiß«, sagte Mark Bernstein. »Es sind nur die zwanzig Jahre Knast *danach*, die mir zu denken geben.«

»Ich meine«, sagte Marion, »dies könnte dem ganzen Land die verzweifelten Schritte demonstrieren, zu denen respektable Wissenschaftler gezwungen werden.«

Bernstein seufzte. »Glauben Sie allen Ernstes, man würde uns hundertprozentig abnehmen, daß es der wirkliche Präsident *war* – selbst wenn unser Dimensionsfreund hier den Mann augenblicklich wieder von dort zurückrotieren würde, wo immer er jetzt steckt?«

»Mark hat's erfaßt«, sagte Paul.

»Richtig«, sagte Sam Dexter. »Sie könnten uns nicht trauen.« Er hob den Kopf. »Tschuldigung – ich dachte, ich hätte eine Sirene gehört . . . Nein, es ist noch zu früh. Richtig. Wie ich schon sagte. Nun, wir werden uns gemeinsam die Köpfe zerbrechen müssen. Wir werden uns rasch etwas ausdenken müssen – und ich erinnere Sie noch einmal daran: zusammen stehen wir, getrennt fallen wir. Also: keine gegenseitigen Beschuldigungen. Die einzige noch offene Frage scheint mir zu sein: Paul, wie viele Leute könnte man in den Brennpunkt des Dimensionenkraftfelds hineinpacken, wenn wir alle ganz dicht zusammenrücken?«

»Ich schätze . . . vielleicht dreißig.«

»Das dachte ich mir. Wir alle. Das ist die einzige Möglichkeit, wie wir einem hübschen langen Gefängnisaufenthalt wegen Konspiration entgehen können. Sie werden uns von hier fortrotieren. Ich will, daß zweierlei schnellstens erledigt wird. Ich will eine Fernsteuerung, um das Feld einzuschalten. Und ich will etwas, um den Apparat unbrauchbar zu machen – ihn einzuschmelzen, in die Luft zu jagen –, sobald er benutzt worden ist. Aber ohne unsere schwulen Doppelgänger aus dem anderen Amerika zu verletzen, die unseren Platz einnehmen werden. Auf diese Weise kann niemand uns mehr zurückholen und vor ein Gericht stellen.«

»Sie wollen uns alle in ein *schwules* Amerika hinüberschicken? schrie Xerxes Ritsos.

»Es klingt, als wäre es ein friedlicherer Ort als dieser. Was immer es auch sonst sein mag! Bestimmt können wir uns alle einfügen. Wir können uns dem entziehen. Wir treffen vorgewarnt ein. Und wenn wir alle zusammenhalten, können wir uns, äh, privat, äh, normal verhalten. Wir werden es überleben.«

»Und was ist mit unseren armen alten Doppelgängern?« fragte Marion.

»Wir werden uns dem Prinzip der *triage* beugen müssen«, sagte Mark schroff. »Wir fliehen. Sie werden sich um sich selbst kümmern müssen. Aber wir könnten ihnen vielleicht«, fügte er als milden Nachgedanken hinzu, »eine erklärende Notiz zurücklassen.«

Eine halbe Stunde später hatten sich alle Abteilungsleiter in einen weißen Kreis auf dem Boden des Kellergeschosses zusammengedrängt. Sie klammerten sich aneinander fest wie Sardinen, damit niemand herausfiel.

Paul de Leuw hielt ein kleines Funkgerät in der Linken, und sein rechter Finger schwebte darüber.

»Jetzt *kann* ich Sirenen hören«, sagte Sam. »Ganz schwach nur und draußen. Also müssen sie einen hübschen Lärm machen. Sie kommen.«

»Okay, sind alle bereit?« rief Paul.

»Ja, ja, fangen Sie an!«

»Okay . . . *los*.«

Ein kurzer Lichtblitz zuckte auf . . .

Doch unglücklicherweise hatten sie alle vergessen, daß der wirkliche Präsident ein paar Stunden vor ihnen im alternativen Amerika eingetroffen war.

Auf der anderen Seite warteten die Menschen bereits. Sie waren nicht sehr erfreut.

Nance streckte sich und gähnte.

»Was für ein Tag ist heute, Benny?«

Eine richtige Kleinmädchenfrage! Damit will ich nicht sagen, daß meine Nance auch nur im entferntesten wie ein kleines Mädchen *aussah*, als sie mit rotem Haar, das das Kopfkissen in Flammen setzte, ausgestreckt in den Federn lag. Aber es war so eine Frage, wie Kinder sie mit sieben oder acht Jahren stellen, wenn sie die Tage bis zu ihrem Geburtstag oder sonst einem Vergnügen gezählt haben. Sie wissen, was für ein Tag heute ist, klar, aber sie brauchen jemanden, der es ihnen bestätigt, um ihre Vorfreude zu steigern.

Ich beugte mich über sie und flüsterte: »Es ist Felltag, Nance.«

Und sie öffnete weit ihre Augen und richtete sich kerzengerade auf.

»Paß auf – dann machen wir uns jetzt besser auf den Weg! Ich werde meinen Robbenfell-BH und meinen Leopardenfell-Bunkerhut tragen. Und, oh, die Ozelot-Stola! Und natürlich diesen netten kleinen Lammfellmuff. Und den Schwanz, den Schwanz! Den Bengalischer-Tiger-Schwanz, der mir hinten rausragt!« Sie bog nach Katzenmanier ihre Finger.

»He, nicht so eilig. Es wird noch keiner auf der Straße sein. Machen wir uns doch erst einen De-Kaff und kochen uns ein Urf.« Ich eilte in den Küchenbereich, schaltete unterwegs den Fernseher ein und gab einen Löffel voll De-Kaff in den Topf; dann schlug ich über einer Pfanne auf dem hinteren Brenner ein paar Urfs auf.

Tatsächlich begann ich Urfs den echten Eiern langsam vorzuziehen, obwohl ich ein eingetragener Fleischfresser war. Ich war mit der Schmuggelware, die wir gelegentlich kauften, unzufrieden geworden. Zu viele echte Eier enthielten diese zähen Geleestücke, die einem zwischen den Zähnen hängenblieben, und das Eigelb war gewöhnlich blasser und kleiner als bei der synthetischen Sorte. Da Eier kein richtiges Fleisch sind, sah ich nicht ein, daß ein bestimmter Grundsatz damit verbunden sein sollte; ein Ei, würde ein Philosoph vielleicht sagen, ist kein Küken. Und doch mußte man als Fleischfresser achtgeben, daß man die Grenze nicht überschritt, so daß ich immer noch gelegentlich einen Dollar für ein Schmuggelei zusammenkratzte.

Wenn keine Eier mehr gelegt würden, woher sollten dann schließlich die kleinen Hühner herkommen?

Na, jedenfalls gab es an diesem besonderen Felltagmorgen Urfs zum Frühstück. Nance hatte sich nie als Fleischfresserin eintragen lassen, so daß ich nicht das Gefühl hatte, sie damit übers Ohr zu hauen. Sie würde aus Kameradschaft zu mir jederzeit ein Steak essen; doch stets würde sie ihres durchgebraten haben wollen, nicht halbgar und blutig, wie ich es bevorzugte. Was mich anbetraf, so war ich Fleischfresser und Raucher und Kinderhasser und Kernkraftgegner, der Typ, den man vom Platz weg verpflichten kann. Nance stand ganz auf Felle und Rettet die Regenwälder (ich nehme an, weil dort Jaguare aufwachsen) und (genau wie ich) aufs Rauchen, schien aber mit ihrem Trio glücklich genug zu sein. Wir kamen blendend miteinander aus, besonders an Rauchtagen.

Sei's drum, Nance stand also inzwischen unter der Dusche, und ich hörte, wie sie sich ganz rosa und frisch prasseln ließ, damit sie in der Berührung dieser Tierfelle richtig schwelgen konnte.

Und die Vornachrichtenwerbung war an.

»Cherchez le Obster! Fünf-Sterne-Aroma. Fünf-Sterne-Textur. Noch niemand kochte ihn lebend! Noch niemand ließ ihn schreien! Denken Sie daran: le Obster!«

Das ärgerte mich ein bißchen: all diese verballhornten französischen Ausdrücke, mit denen uns der Synth-Nahrungsmittel-Markt fortwährend eindeckte. Was war das noch letzte Woche? *Burf*: der neueste Schrei falschen Fleisches. Es klang, als würde jemand rülpsen. *So* nahe waren wir nun auch wieder nicht an der Grenze zu Quebec. Ich nehme an, die Hersteller dachten, das gebe der Gastronomie einen todschicken Touch.

Ich überlegte, ob ich meine Eintragung als Kinderhasser wieder rückgängig machen und mich statt dessen als angelsächsischer Suprematist registrieren lassen sollte. Dann könnte ich für einen Tagesausflug nach Montreal huschen, dort umherwandern und jedermann beleidigen, indem ich englisch sprach. Aber vermutlich würde das an diesem Tag halb Kanada machen, so daß ich bloß einer von vielen wäre. Und das war ganz und gar nicht der Knackpunkt besonderer Tage, jedenfalls nicht, so wie ich sie verstand.

Tja, der Topf mit De-Kaff kochte also inzwischen, desgleichen die Urfs. Ich machte einige Toasts und schnitt sie in Streifen, damit man sie eintunken konnte, so wie Nance es mochte. »Soldaten«, nannte sie sie. Sie war Antimilitaristin gewesen, ehe sie zu Rettet die Regenwälder übergewechselt war, aber es machte ihr Spaß, Soldaten die Köpfe abzubeißen. Ich brachte unser Frühstück ins andere Zimmer hinüber, als gerade die Nachrichten anfingen – und als Nance in ein Handtuch gehüllt aus der Dusche auftauchte.

»Hallöchen, Bürger. Hier spricht Cal Garrison, und heute ist Felltag, also gebt bloß auf all die paläolithischen Typen in ihrer Höhlenmenschenkluft acht . . .«

Nance schmollte. »Der hat vielleicht Nerven. Hat nicht das geringste *Konzept* von Eleganz. Schau dir nur an, wie er gekleidet ist: T-Shirts und Jeans.«

»Ja, Leute, es ist noch nicht Naturhaßtag, aber das wird das nächste große Ding – für die, die sich's leisten können. Und wie ich es sehe, können sich nur die Stinkreichen mit Tierfellen rausputzen . . .«

»Das stimmt gar nicht«, sagte sie. »Immerhin war die Ozelotstola, die ich ergattert habe, absolut . . .«

»Ich meine, jeder Bürger kann rausgehen, um Blumen in einem Park zu zertrampeln . . .«

»Er versucht nur, die Gefühle aufzupeitschen«, machte ich ihr sanft klar, »damit der Tag auch wirklich ein Erfolg wird.«

». . . all die grausamen Ausbeuter lieblicher Pelztiere, die denken, daß Gottes Geschöpfe nur auf Erden sind, um uns zu *zieren*. All die seltenen Tiger in den Wäldern der Nacht und die edlen Eisbären und knuddeligen Seehundbabys und herzigen Hoppelhäschen . . .«

»Ich liebe einfach Pelztiere«, sagte Nance und strich in Erwartung des Kommenden mit den Händen genüßlich über ihre Schenkel.

»Ich liebe Tiere auch«, sagte ich. »Ich liebe es, sie zu essen.«

»Tja, Bürger, schauen wir uns doch mal ein paar Meter Film von gestern an, ehe wir uns der trüben alten internationalen Szene zuwenden, eh? Und was war gestern? Es war Weintag, mit all den Betrunkenen und Besoffenen, die nüchterne Menschen mißbrauchten . . .«

Wir achteten nicht weiter auf den Filmbericht, da wir mit unseren Urfs beschäftigt waren.

». . . und die gute alte Sozialspannungsrate ist über Nacht auf 400 gesunken . . .«

»Heh«, sagte Nance, »so niedrig ist sie seit dem Anti-Nigeria-Tag nicht mehr gewesen.«

Ich schob mein leeres Urf zur Seite und machte die vertraute Bewegung zweier gespreizter Finger an den Lippen. Nance nickte, also griff ich nach dem Päckchen Zigaretten; man konnte das Markenzeichen unter der Gesundheitswarnung kaum noch erkennen. Ich steckte einen Chip in den Wandschlitz, damit für die nächsten fünfzehn Minuten der Feueralarm des Apartments ausgeschaltet war, und wir zündeten uns welche an. Es waren nur noch vier Zigaretten in dem Päckchen übrig, so daß wir die anderen beiden nicht mehr aufrauchen würden. Klar, wir hatten jeder noch eine halbe Stange gehortet, aber wir hofften, uns je drei Päckchen für den Rauchtag aufsparen zu können. Bei zwanzig Dollar das Päckchen – und das schloß die Steuererleichterung für registrierte Raucher mit ein – hütete man sich davor, leichtfertig zu sein.

Nance paffte ihre gleich bis zum Filter herunter, drückte sie aus und erhob sich dramatisch.

»Jetzt«, verkündete sie, marschierte zu ihrem Kleiderschrank und warf das Handtuch lässig hinter sich auf den Boden. Ich hob es auf und hängte es über eine Stuhllehne. Das war alles schon Teil des Rituals.

Natürlich waren uns die meisten Tage, für die wir nicht eingetragen waren, ziemlich egal. Ganz zu schweigen davon, daß wir sie mitgemacht hätten.

Einige jedoch nicht. Der Vegtag, zum Beispiel, als alle Vegetarier auf dem Rasen im Park picknickten (wie Pflanzenfresser, genau) und anschließend in die behördlich genehmigten Fleischfresser-Restaurants platzten und Algensuppe und Nußkoteletts verlangten. Wie wir damals jauchzten und höhnten.

Und der Hündchentag, als all die stolzen Besitzer ihre kleinen Lieblinge von der Leine ließen und sie überall hinmachten. Nance steigert sich wegen so etwas immer in helle Aufregung hinein. Sie lief zu Hundebesitzern hin, deren Fido gerade eine Ladung in den Spielkasten im Park gesetzt hatte, und schrie sie an: »Ist Ihnen klar, daß die Hand eines Kindes das berühren könnte und es *erblinden* würde?« Das war ihr Lieblingsspiel. Gewöhnlich schrien sie zurück, daß dies gar nichts sei im Vergleich zu dem, was man an Kinderhassertagen täte. Aber im allgemeinen focht sie einen tüchtigen Wortwech-

110

sel aus, und das machte auch die Hundepassanten glücklich, weil sie annahmen, daß sie sie beleidigten. Alles ungemein therapeutisch.

Aber Tage wie den Gruftitag ignorierten wir einfach; und auch eine Menge alter Leute blieb häufig zu Hause, obwohl man nicht umhin kam, das alte Pack militanter Omas und Opas zu erleben, die einen mit ihren Spazierstöcken zum Stolpern brachte und Jugendliche von den Sitzen im Bus zerrte und solche Sachen.

Und auch den Jiddtag. Was hätte ich schon davon, mir ein Hakenkreuzabzeichen anzupappen und draußen vor dem Ladenfenster irgendeines koscheren Metzgers »Juden raus!« zu brüllen, bis ich heiser war, nur damit er herausgeeilt kam und mit den geheulten Worten »O weh!« seinen Davidsstern nach mir warf?

Außerdem hatte ich das Gefühl, daß einige dieser Tage ein wenig, nun, armselig waren; obwohl ich annehme, daß jene, die sich dafür hatten eintragen lassen, und jene, denen sie auf die falsche Weise wieder etwas in Erinnerung brachten, dieses Gefühl nicht unbedingt teilten. Fettleibigkeitstag, Science-fiction-Tag. Wen kümmerte das schon?

Nance sah in ihrer Nerzjacke, dem Leopardenfellhut und dem Kleid und den Stiefeln aus echtem Leder überwältigend aus. Sie hatte sich zugunsten der mit Zebra besetzten Ziegenfellhandschuhe gegen den Lammfellmuff entschieden; und zugunsten eines prächtigen Rotfuchspelzes, den sie so um die Schultern geschlungen hatte, daß sein Kopf (mit Knopfaugen aus schwarzem Glas) auf der einen Seite und der buschige Schwanz auf der anderen Seite herunterbaumelte, gegen die Ozelotstola. Er verschmolz beinahe mit ihrem Haar. Sie hatte auch die Idee mit dem Tigerschwanz aufgegriffen. In der rechten Hand schwang sie eine Handtasche aus Krokoleder. Einfach perfekt. Sie war erstklassig.

Ich trug natürlich meinen üblichen Drillichanzug.

Und los ging's: hinaus zum Fahrstuhl, hinunter in die Vorhalle mit ihrem Dschungel aus Schweizer-Käse-Fertigungsstätten und durch die automatische Sicherheitsüberprüfung hinaus auf die Straße. Auf die Clancy Avenue, um genau zu sein. Sie wissen schon, sechs Blocks nördlich vom Jefferson Park und dem Zoo, zehn Blocks westlich der Innenstadt.

»Wohin wollen wir gehen, Nance?«

111

»Du *weißt* schon, Benny.«

»In den Zoo?«

Sie nickte eifrig.

Natürlich. Wie üblich. In den Zoo. Wo hätte sie ihr Kostüm besser zur Schau stellen können? Menschen, die Tiere liebten – *au naturel*, wie der makrobiotische Mob sagt –, pflegten in den Zoo zu strömen, jederzeit bereit, Anstoß zu nehmen.

Doch dort mußten wir erst einmal hinkommen. Und *en route* ereigneten sich gewisse Abenteuer. (Zum Teufel mit dem ganzen Französisch. Lang lebe die englische Sprache, rein und unverfälscht.)

Erst winkten wir einem Taxi, aber das haute nicht hin. Die ersten paar Fahrer fuhren vor und blickten Nance ungnädig an, um im nächsten Augenblick mit quietschenden Reifen davonzubrausen und uns in einer Dunstwolke zurückzulassen; was angesichts der Auspuff-emissionsfilter, mit denen ihre Wagen ausgerüstet waren, gar nicht so einfach war, aber sie schafften es. Allerdings nicht, ehe Nance sie nicht ihrerseits mit einer wahren Schimpfkanonade eingedeckt hatte.

Also machten wir uns daran, die sechs Blocks zu Fuß zu gehen. Das nächste Malheur passierte uns, als wir an einer Geile-Gemüseburger-Bar vorbeikamen, vor der sich ein buddhistischer Mönch mit glattra-siertem Schädel in Safranrobe und Schnürsandalen postiert hatte. Er schlug auf eine kleine Trommel; und wie ein alter Seebär sprach er uns von der Seite her an. Er stank nach Patschuli.

»Ich bete für ihre Seelen«, jammerte er und schleppte sich neben uns her, »auf daß sie in Frieden ruhen mögen.«

»Wessen Seelen? Unsere?« sagte ich. Manche Leute neigen dazu, in der dritten Person mit einem zu reden, wenn sie keinen direkten zwischenmenschlichen Kontakt haben wollen, sich aber dennoch verpflichtet fühlen, Bemerkungen zu machen.

»Die Seelen all der geschlachteten Tiere.« Und er psalmodierte weiter, auf sanskrit oder tibetanisch oder sonst etwas, schlug lärmend diese Trommel in unmittelbarer Nähe unserer Ohren.

»Sie können drauf wetten, daß sie in Frieden ruhen«, rief Nance. »Was mehr ist, als man von jedem in ihrer Nachbarschaft sagen kann, Sie Clown! Was sind Sie, die Antwort auf Haarschuppen?«

Ich krauste die Stirn. Das war nicht gerade die Klasse, die ich von Nance erwartete. Ich glaube, der Mönch hatte sie ein wenig aus dem Gleichgewicht gebracht; und das war gar nicht gut.

»Om, om, om, om«, murmelte er in einem fort und begleitete uns. Ah ja, jetzt begriff ich. Der Mönch erlegte uns ein öffentliches Ärgernis auf, obwohl nicht Hare-Krishna-Tag war. Er machte sich an uns ran. Und er brachte Nance auf. Aber sie konnte es nicht recht sagen, nicht sie. Also sagte ich es für sie.

»Hau ab, Kumpel. Du wilderst. Ich werde eine Beschwerde einreichen. Glaub mir, das werde ich! Man wird dich deregistrieren.«

Das befreite uns von ihm, wenn auch nicht so befriedigend, wie es der Fall gewesen wäre, wenn Nance ihn selbst abgewimmelt hätte. Sie wirkte ein wenig verärgert, bekam aber gleich wieder bessere Laune, als uns eine Hundepassantin mit einem Paar angeleinter, maulkorbbewehrter Pudel entgegentrat und gleichzeitig eine vernarrte Mutter ihren Zwillingskinderwagen samt Gören so lenkte, daß er uns den Weg versperrte. Natürlich wurde die erste Frau nicht nur von ihren Pudeln behindert, sondern auch noch von ihrem Beutel, der eine Hundeexkrementschaufel, Plastiktüten und Dosen mit Sterilisierspray enthielt – und die Mutter von einer Tasche voll Gemüse, die ihren Kinderwagen bedrohlich aus dem Gleichgewicht brachte. Es würde also eine Kleinigkeit sein, mit ihnen fertigzuwerden.

Beim Anblick von Nances Pelzen und Leder bekam die Hundepassantin ganz weiße Lippen.

»Sie . . . Sie Teufelin!« kreischte sie. »Gott segne alle Lebewesen.« Als hätte Nance diesen Fuchs dem Satan geweiht und das Blut des Tieres getrunken.

»Nun, die hier sind *tot* . . .«

Aber Nance hatte noch keine Gelegenheit gefunden, ihre Erwiderung anzubringen, als auch schon beide Pudel zum Kinderwagen hinaufsprangen und durch ihre Maulkörbe die kleinen Tapse ganz und gar vollsabberten.

»Toxicara-Virus!« schrie die wütende Mutter in blankem Entsetzen, wie ein Seuchenopfer, das sein Glöckchen erklingen läßt und »Unrein!« ruft.

»Oh, das tut mir ja so leid!« rief die Hundepassantin aus. Schnell zerrte sie eine Spraydose aus ihrem Beutel. »Schließt eure Augen, meine kleinen Lieblinge«, gurrte sie und besprühte prompt ihre Gesichter und Hände. Und selbstverständlich begannen die Gören zu schreien. Sofort verkündete Nance laut allem und jedem: »Hören Sie sich nur diesen Lärm an! Er zerreißt einem ja die Trommelfelle. Das sind gut und gern neunzig Dezibel.« Die Mutter mußte ihnen natürlich mit einer Hand (eigentlich mit beiden Händen) den Mund zuhalten; und ihre Gesichter liefen dunkelrot an – und da sie beide Hände benutzte, kippte der Kinderwagen hinten über und verstreute Artischocken und Endivien über den gesamten Fußweg. Aufgeregt begannen die Pudel erneut hochzuspringen. Ach, es war einfach herrlich. Mit einem triumphierenden Lachen schwang Nance den Fuchspelz über die Schulter zurück und steuerte geschickt zwischen Scylla und Charybdis hindurch.

Und wenig später dann . . . aber Sie möchten sicher nicht, daß ich über jede Kleinigkeit, die uns unterwegs zustieß, plaudere. Sie möchten lieber etwas über den Zoo erfahren. Dort würden sie die wirklichen Konfrontationen an einem Tag wie diesem erwarten. Die wirkliche Katharsis, wie die alten Griechen zu sagen pflegten. Die wahre Befriedigung: zu wissen, daß man sein Teil zu einer gesunden Gesellschaft beiträgt.

Das ist schließlich der springende Punkt an der ganzen Sache. Stellen Sie sich die Gesellschaft als ein Zimmer voller Luftballons vor. Alle versuchen sich zur gleichen Zeit in einen endlosen Raum hinaus auszubreiten. Also versucht jeder Ballon, seinen Nachbarn beiseite zu drängen. Und wenn einer der Ballons sich dabei *zu* weit ausbreitet, zerplatzt er natürlich. Das ist eine ganz schöne Bescherung. Es kostet, das wieder aufzuräumen. Aber Ballone breiten sich gern aus; es liegt in ihrer Natur. Was will man also machen? Man richtet für bestimmte *Arten* von Ballonen bestimmte Tage ein, und bestimmte Tage für andere Arten, die beiseite gedrängt werden können. Gewöhnlich beides zur gleichen Zeit. Und die Psychoforscher überwachen alles mit ihren Sozialspannungsgraden. Ganz einfach.

So etwas nennt man eine Analogie.

Obwohl sie vielleicht nicht ganz zutreffend sein mag.

Aber was soll's . . . der Zoo.

Wir kamen also bei den Toren an und gelangten unter nur geringem Pfeifen und Zischen hinein. Niemand stand aktiv Posten; nicht an den Toren.

»Eisbären, Nance?«

»Nein, *Katzen*. Die großen Katzen.«

Es standen eine Menge Aufsichtsbullen herum, wie man es am Felltag an einem Ort erwarten konnte, wo zahlreiche schöne Felle herumliefen (die noch mit Körpern gefüllt waren); und einer von ihnen kam prompt schnurstracks auf uns zu. Ich dachte, das ist aber ausgesprochen kleinlich von ihm, doch dann war es offensichtlich ein Neuling – mit frischem Gesicht und noch jung.

»'n Morgen, Madam. Darf ich mal bitte Ihre Registraturkarte sehen?«

»Heh«, sagte ich, »glaubst du, sie hätte sich so rausgeputzt, wenn sie nicht koscher wäre?«

Der Neuling beäugte mich. »Wollen Sie sich einen schweren Tag machen?«

»Ist schon okay, Benny.« Nance zog ihre Karte aus der Krokohandtasche.

Der Neuling musterte sie eine Weile, als hätte er Schwierigkeiten mit dem Lesen, während wir uns grämten und nach dem guten Stück verzehrten. Schließlich reichte er sie uns zurück und starrte Nance in ihrem Aufzug verächtlich von Kopf bis Fuß an. Haben Sie schon einmal von Leuten gehört, die ihre Lippen schürzen? Ich selbst hatte das noch nie gesehen; aber seine Lippen schürzten sich. Er schwieg; aber *das* ließ ich nicht auf uns sitzen.

»Heh, haben Sie etwa persönlich etwas gegen Felle? Falls nämlich ja, sollten Sie heute keinen Dienst haben.«

Daraufhin hüpfte der Adamsapfel des Neulings einige Male hinauf und hinunter, als würde etwas in seinem Kropf festsitzen.

»Komm, Nance.« Und wir gingen davon. An den Klammeraffen vorbei und am Kakadugehege entlang. Ich konnte mich nicht entscheiden, ob die Begegnung für oder gegen uns ausgefallen war.

»Federboas«, murmelte Nance leicht bedrückt – plötzlich zur vermutlichen Ursache überwechselnd. »Der Vogel der Paradieshüte . . .«

Ich kicherte. »Und der Morphoschmetterling, der in deinem Knopfloch steckt?«

»Das verträgt sich nicht mit Fuchs und Nerz und Leder.«

»Wahrscheinlich nicht.«

»Nance, du siehst heute fabelhaft aus. Der Kerl hatte einfach nicht dein Format.«

»Bist du sicher?«

»Hand aufs Herz. Gehen wir« – und ich stupste sie leicht an – »zum Laufsteg.« Und wir brachen beide in lautes Gelächter aus und hakten uns unter und beeilten uns, zur Pinguinterrasse zu kommen.

Unten beim Tigerkäfig stand ein Posten von Animal's Lib, denn natürlich war heute gewissermaßen auch ihr Tag. Auf eine Art und Weise, die sich im umgekehrten Sinne ›gesellschaftlich Raum verschaffte‹. Ein paar Leute, die Handzettel verteilten und sie lahm schwenkten, protestierten dagegen, wie die Tiere gehalten wurden; und als Teil des Schauspiels hatten sie einen selbstgemachten Bambuskäfig mit einem Typen darin dabei, der in einen Geschäftsanzug gekleidet war, verwirrt dreinsah und gelegentlich an den Bambusstangen rüttelte, wenn auch nicht allzu kräftig, damit sie nicht auseinanderfielen. WIE WÜRDE *IHNEN* DAS GEFALLEN? stand auf einem Schild obendrüber. Aber alles war ziemlich fade, bis Nance auftauchte. Erst dann ging es so richtig los.

Eine dicke junge Frau mit fettigem Haar watschelte nach vorn. Sie deutete mit einem feisten Finger auf Nances Fuchspelz.

»Den da will ich kaufen«, sagte sie heftig und schwang ein paar mottenzerfressene Dollarscheine. »Den da will ich kaufen und *verbrennen*.«

»Ach ja, wollen Sie das?« sagte Nance. »Mit soviel Isolierung *frieren* Sie noch? Sie sind offenbar nicht ganz im Bilde, Baby: Wir haben heute nicht den Fettleibigkeitstag.«

»Sie müssen sich ja für unglaublich häßlich halten, Lady«, rief ein dürrer Mann, »daß Sie es nötig haben, sich so einzupacken, und es nicht wagen, Ihr Gesicht zu zeigen.«

»Geh und spiel mit 'nem Tiger, Androkles«, gab Nance zurück.

»Ich hätte den Schwanz doch tragen sollen«, flüsterte sie.

»Ich hab den Schwanz eines richtigen bengalischen Tigers zu Hause«, verkündete sie laut. »Habe ihn selbst geschossen, auf einer Safari. Ärgerlich war nur, daß ich versehentlich eine Elefantenbüchse benutzte, so daß das Fell dabei zum Teufel ging. Aber den Schwanz behielt ich. Und die Jungen. Eines von ihnen habe ich ausstopfen lassen, und das andere benutze ich als Schonbezug für mein Nachthemd.« (Natürlich lauter Lügen. Nance war Indien nie näher gewesen als in einem Restaurant.) »Das ist unglaublich kuschelig im Bett.«

»Hexe!« schrie die dicke Frau.

Das entwickelte sich ja alles ganz prächtig, und ich bemerkte einen Aufseher, der müßig in der Nähe herumstand und mit dem Kopf

nickte, als zählte er die Punkte, während er darauf achtete, daß keine
Fouls begangen wurden, wie etwa körperliche Angriffe und Gewalttä-
tigkeiten. Nun, es hatte sich auch schon eine beachtliche Menge um
uns herum versammelt.

Aber gerade da . . . schweiften jedermanns Blicke von Nance ab.

Denn dieser unglaubliche Geck kam den Weg entlanggeschlen-
dert.

Ein Leopard; er war ein Leopard! Womit ich nicht meine, daß er
Kleidung aus Leopardenfell trug. Oh nein, er trug einen richtigen
Leoparden – oder wenigstens sah es so aus. Aber vielleicht waren es
auch zwei Leoparden, die man geschickt ineinander gesteckt hatte.
Ich konnte mir nicht vorstellen, daß – selbst wenn man ihn dehnte – ein
einziger Leopard so einen großen Mann bedecken konnte (obwohl ich
mich vielleicht irrte). Und groß war er. Zwei Meter zehn, wie ein
Basketball-As. Und schwarz. Er trug den Leoparden, als wäre es seine
eigene Haut. Er hatte klauenbewehrte Tatzen an den Füßen; und auch
seine Hände waren klauenbewehrt. Und der Kopf! Sein eigener Kopf
war in das Innere des Leopardenschädels gezwängt, der weit aufgeris-
sen war, so daß die obere Zahnreihe seine Brauen und die untere
Reihe sein Kinn bedeckte. Und ein Leopardenschwanz ragte stock-
steif hinten heraus.

»Ach du herrje«, sagte Nance.

Das As krümmte seine Klauen und fauchte, bleckte die Zähne im
größeren Rahmen des Leopardengebisses wie ein Mund innerhalb
eines Mundes.

Ich konnte einen Reißverschluß erkennen, der vorn am Leoparden
hinaufführte, aber das minderte den Gesamteindruck nicht.

»Hallöchen«, sagte er zu Nance und versetzte der Fellkameradin
einen anerkennenden Knuff, während die Leute von Animal's Lib sich
davonstahlen, entsetzt weit jenseits des Entsetzens (um es poetisch
auszudrücken). Er balancierte auf den Ballen seiner gepolsterten
Füße und beugte sich etwas vor.

»Felle und Glimmstengel«, sagte er.

»Glimmstengel und Regenwälder«, erwiderte sie.

»Wow-iih!« rief dieser Geck aus. »Jaguare und Jivaro.«

»Schrumpfköpfe und Orchideen!«

»El Dorado und Anakondas!«

»Lianen und Kolibris!«

»Ich wüßte nicht, daß es in Südamerika irgendwelche Leoparden gäbe«, warf ich ein.

Doch sie ignorierten mich voller Verzückung. Sie kümmerten sich nicht um mich. Vielleicht war es diesem Gecken nur noch nicht möglich gewesen, Hand an den einen oder anderen Leoparden zu legen. Vielleicht war dies ja auch sein ererbtes Stammeskostüm aus Afrika, und in Wirklichkeit sehnte er sich danach, die Regenwälder und nicht die Savannen zu durchstreifen . . . »Pirañas und Gummibäume«, sagte er.

»Faultiere und Amethysten!« Und Nance langte vor, um sein Fell zu streicheln. Äußerst sinnlich. Nun wußte ich zwar, daß heute ihr Tag war; aber trotzdem.

»Heh«, sagte ich.

In diesem Moment begannen die Animal's Libs mit ihrer Hänselei. »Metzeln und Schnetzeln!« faselten sie. »Blut und Totschlag! Qual und Pein!« Und der Typ im Geschäftsanzug hüpfte und schnatterte hinter den Bambusstangen.

»Hauen wir ab«, schlug der Leopardengeck Nance vor.

Sie zwinkerte. »Aras und Kaugummi, eh?«

»Tapire und Bananen.« Er legte eine Leopardenpranke um ihre Schultern.

»Heh!« wiederholte ich über dem Getöse. Und Nance sah mich nur an, als wäre ich ein Fremder.

Nein, nicht ganz ein Fremder. Noch nicht. »Amazonasschwertschwänze *und* . . .?« erkundigte sie sich.

Ich strengte meinen Verstand an. Aber ich konnte nicht denken. Ich beherrschte diese mystische Sprache nicht.

»Und?« mahnte sie mich.

Ich schüttelte den Kopf. Dann kam mir doch noch ein Einfall. »Und Inkagold?«

»Oh *Mann*«, sagte der Leopard hohnlachend. »El Dorado hatten wir doch schon.« Und er zog Nance mit sich. Und fort war Nance.

Da ich (in meinem Drillichanzug) natürlich niemand war, den anzugreifen sich lohnte, senkte sich das Stimmengewirr wieder. Verloren stand ich in einem Meer des Schweigens und betrachtete die gefleckte Bestie mit dem langen steifen Schwanz, die meine Lady fortführte, die beiden, die immer noch in einem geheimen Code

Phrasen austauschten. Wie ein Paar Spione, das nach langer Zeit endlich zueinander gefunden hatte und erfolgreich die auseinandergerissenen Hälften eines Dollarscheins zusammenfügt.

Das ist also die Geschichte, wie ich am Felltag meine Nance verlor.

Eine Zeitlang dachte ich daran, mich selbst als Feller eintragen zu lassen, um zu versuchen, sie zurückzugewinnen. Aber ehrlich gesagt, konnte ich mich in Fell nicht recht vorstellen. Und eigentlich waren es ja auch nicht die Feller, an die ich sie verloren hatte. Es waren die Regenwälder. Und abermals nein: Es waren ja auch nicht die Regenwälder.

Es war dieser Dialog, in den die beiden so prompt verfallen waren – wie zwei Hälften derselben Person, die seit Anbeginn der Welt aufeinander Jagd gemacht hatten.

Und ich war eben nicht Nances andere Hälfte. Er war es. Sie hatten das sofort erkannt. Instinktiv.

Es ist, als hätte man, indem man das Jahr der sozialen Hygiene wegen in bestimmte Tage der Besessenheit aufgespalten hatte, im Zuge dieser Entwicklung auch die Menschen aufgespalten. Aufgespalten, um sie wenig später wieder zusammenzufügen. Wie die DNS. (Das ist eine Analogie.) Die Zeit fürs Aufspalten ist zu Ende gegangen; die Zeit fürs neuerliche Zusammenfügen lauert schon unmittelbar hinter der nächsten Ecke.

Vorgestern wurde ich Zeuge einer Begegnung auf der Straße, die mir einen Schauder über den Rücken jagte.

Zwischen einem jungen puertorikanischen Burschen und einer weißen Frau in den Dreißigern. (Es war übrigens Abtreibungstag.) Er trat einfach vor sie hin und sagte: »Peyote und Friedenspfeife.«

Und sie erwiderte: »Tipis und Tomahawks.«

»Büffel und Adoben!«

»Sitting Bull und Mokassins!«

»Wampums und Totempfähle!«

Und sie schlenderten zusammen Arm in Arm weiter, so süß, wie man sich's nur denken kann.

Gestern schließlich (es war Pornotag) fiel mir ein mageres Mädchen in Motorradkluft auf, das auf einen militärischen Typ mit Bürstenhaarschnitt zustürzte und ihn mit »Legionen und Aquädukte!« begrüßte.

Worauf er, so schnell wie sonst nur was, antwortete: »Orgien und Togas.«

Das ist also der Stand der Dinge. Oder wird es jedenfalls in ein paar weiteren Monaten sein. Das ganze Land schüttelt sich selbst aus und faltet sich auf andere Weise neu.

Und irgendwo dort draußen verlangt meine Seelengefährtin nach mir. Und ich nach ihr, oder ihm.

Es könnten Sie sein. Glauben Sie nicht?

Probieren wir's doch einfach mal aus. Bitte.

»Chartreuse und Trüffeln?

Bardot und Guillotinen?

Bonbons und Trikolore?«

Ich warte.

DIE HAARE AN IHREM LEIB

Und ein Hauch fuhr an mir vor-
über; es standen mir die Haare zu
Berge an meinem Leibe.
HIOB 4, 15

Ich hatte beschlossen, an Bord eines Frachtschiffs von Japan nach Europa zurückzureisen. Das würde mich erheblich billiger kommen als fliegen – zumal mir das Fliegen verhaßt war – und mir die Möglichkeit geben, dachte ich, den ersten Entwurf meines Buches über das japanische Puppentheater abzuschließen.

Ich spielte eine Weile mit dem Gedanken, von Yokohama nach Nakhodka zu segeln und anschließend die Transsibirische Eisenbahn zu nehmen, um den alternativen ›Ozean des Erdreichs‹ zu durchque- ren; aber obwohl mich das erheblich billiger gekommen und schneller gewesen wäre als eine Seereise, fürchtete ich, daß es unbequem und bedrückend sein könnte. Darüber hinaus war ich voll ›japanischer Empfindsamkeit‹ – eine Stimmung, deren Beibehaltung mir für den Erfolg meines projektierten Buchs wesentlich zu sein schien. Mich in Sibirien plötzlich in einem Zug wiederzufinden, der (wie ich mir vorstellte) von Samovars und Babuschkas, Militäruniformen und einer bunten Vielfalt internationaler Reisender, die wie die Sardinen zusammengepfercht waren, förmlich überquoll, wäre mir recht unan- gebracht erschienen. Ich bildete mir ein, daß ich meine japanische Stimmung inmitten der Leere des Pazifischen Ozeans sehr gut in die angemessensten Worte kleiden und kristallisieren könnte. Ich könnte vor meiner treuen tragbaren Schweizer Schreibmaschine meditieren, ich könnte ein oder zwei Seiten tippen und dann einen Spaziergang auf Deck machen. Ich wäre völlig losgelöst von der Welt als Ganzes und fähig, im Geist in die Zeit der Chikamatsu zurückzukehren. Nur wenige andere Passagiere würden mit mir reisen: höchstens zehn. Auch würden sie nicht meine Sprache sprechen. Denn ich würde ein ausländisches Schiff wählen – weder ein italienisches noch ein japani- sches. (Ich hielt mich selbst bereits teilweise für einen Japaner, wenigstens in meiner Seele.)

Die nächsten sechs Wochen würden eine Periode der sanften Entwöhnung von jenem Japan sein, das ich liebte – und, um eine Metapher zu gebrauchen, der friedlichen Schwangerschaft meines Buches.

Ich buchte eine Überfahrt auf der *Lübeck,* einem Containerschiff, das von Yokohama aus seine Heimreise antreten würde, zwanzigtausend Kilometer non-stop durch den Panamakanal. (Wenn man sich auf der anderen Seite der Welt befindet, scheinen einem Italien und Deutschland gar nicht weit auseinanderzuliegen, nur eine Eisenbahnfahrt. Außerdem hatte ich Freunde im schweizerischen Lugano, die ich von ganzem Herzen zu besuchen wünschte, ehe ich mich nach Süden zu der stattlichen Ruine unseres Familienhauses vor Palermo wandte.)

Als ich mit dem Schnellzug von Kyoto eingetroffen war, erlaubte ich mir den Luxus eines Taxis vom Tokioer Bahnhof den ganzen Weg zu den Docks von Yokohama, denn ich hatte eine gehörige Menge Gepäck bei mir. Das Taxi war von der üblichen grellen Sorte, rot und orange gestreift, mit französischen Chansons, die aus dem Stereokassettengerät trällerten. Aber es enthielt auch ein hübsches Gesteck feiner Miniaturblumen in einem lasierten Topf, der an der Rückseite des Fahrersitzes befestigt war, und ich gratulierte mir insgeheim dazu, daß dies das richtige japanische Lebewohl für mich war. Der Fahrer mag wie ein Gangster ausgesehen haben und seinen Toyota auch wie einer gefahren haben, aber jeden Morgen, wenn er sich von seiner Steppmatratze erhob, um seiner Pflicht nachzugehen, richtete er geschmackvoll Blumen der jeweiligen Jahreszeit für sein Fahrzeug her.

Wir trafen am späten Nachmittag bei den Docks ein. Ich brachte mein Gepäck durch den Zoll, und mein Fahrer entführte mich flugs zu dem Schiff, wo er mir half, meine Taschen und Klamotten die Laufplanke hinauf an Bord der *Lübeck* zu wuchten. Der › Kabinenjunge‹ – wenn das die richtige Bezeichnung für einen sehr großen blonden Mann nordischer Herkunft war – scheuchte meinen Fahrer an Land zurück und übernahm, zeigte mir meine Kabine und informierte mich beiläufig in tadellosem Englisch, daß das Abendessen um neunzehn Uhr dreißig serviert wurde. Wir würden morgens um drei mit der Flut auslaufen. Dann machte er sich davon.

Ich musterte meine kleine Kabine zufrieden. Sie war äußerst nett und ordentlich, in hellen Pastelltönen gehalten. Es gab eine einzelne

Bettkoje, einen kleinen Tisch für meine Schreibmaschine, einen Stuhl und ein Bild an einer Wand, das – natürlich – ein Handelsschiff auf dem Meer zeigte. Ein Bullauge von hinreichender Größe lugte aus der Kabine heraus und seine Zwillinge aus der gekachelten Duschzelle und dem angrenzenden WC. Das Ganze war einem Gasthof bei Innsbruck nicht unähnlich, in dem ich einmal einige Nächte verbracht hatte – wenn man sich an Stelle der Gischtbrecher, die ich draußen erspähte (obwohl die See zur Hafenseite hin im Augenblick eher flach und ölig war), die schneebedeckten Gipfel der Alpen vorstellte.

Ich hing ein paar Kleidungsstücke in der Schrankeinheit auf, packte meine Schreibmaschine aus – als Geste meines guten Willens – und beschloß dann, von einem Augenblick zum anderen, an Land zu gehen und mir ein letztes Mal Japan anzusehen.

Ich fand ein anderes Taxi, das durch die Docks streifte, und ließ mich zur Motomachi-Einkaufsstraße fahren – immerhin war ich jetzt ein waschechter Tourist. Von dort wanderte ich, als es zu dämmern begann, nach China Town hinunter, wo ich schließlich in einem Rohfisch-Restaurant landete; dort aß ich zum letztenmal dünne Streifen meines Lieblingsgerichts, in Öl getunkte Brustseiten des Großen Thunfischs auf Reisklümpchen, spülte sie mit einer Flasche *tokkyu*-Sake herunter und kehrte etwa um zehn Uhr wieder an Bord der *Lübeck* zurück.

Bis dahin hatte ich außer Klaus, dem ›Kabinenjungen‹, noch niemanden auf dem Schiff getroffen.

Als mich am nächsten Morgen das Geräusch eines Frühstücksgongs weckte, der im Gang vor den Kabinen ertönte, befand sich das Schiff schon auf hoher See, neigte sich sanft im zeitlosen Rhythmus der Reise von steuerbord nach backbord und wieder zurück.

Ich duschte rasch, schabte mir die Stoppeln vom Gesicht, zog mich an und war innerhalb von sieben oder acht Minuten im Speisesaal.

Und die öffentliche Erniedrigung begann: die Erniedrigung, von der ich in den ersten schockierten Augenblicken annahm, daß sie auf mich allein gerichtet sei, von der ich jedoch bald erkannte, daß sie gleichermaßen von allen acht zahlenden Passagieren oder Opfern, die wir in Wirklichkeit waren, geteilt wurde. Denn dies war das Spiel des Kapitäns und seiner Offiziere.

Meine eigene Taufe in diesem Spiel erfolge nahezu unmittelbar.

Der Kapitän, ein rotgesichtiger Mann mit fleischigen Fäusten, erhob sich brüsk vom Tisch und stellte mir, Gino Landolfi, den Zweiten Offizier Herrn Jünger (der mit seiner Tochter reiste – sie bewohnte eine der anderen Passagierkabinen), den Chefingenieur Herrn Hausmann und den Steward Herrn Grünewald vor, der damit beschäftigt war, das Frühstück zu servieren. Und anschließend die anderen Passagiere: es waren drei britische Pärchen und ein japanischer Knabe von etwa sechzehn Jahren. (Und natürlich hatte die Tatsache, daß so viele Briten auf einem deutschen Schiff reisten, sehr viel mit der Heraufbeschwörung des ›Spiels‹ zu tun. Ich gebe den Briten mindestens teilweise die Schuld an der Situation, da sie ihr Bestes taten, speziell diese Deutschen in Karikaturen ihrer selbst zu verwandeln. Doch gleichzeitig, wie ich noch herausfinden sollte . . . *Gleichzeitig!*)

Wir alle teilten uns denselben großen Tisch, der einen lästigen Rand aufwies wie ein Billardtisch, um zu verhindern, daß Teller und Gläser zu Boden rutschten. Die *Lübeck* besaß offenbar keine Stabilisatoren. So kam sie schneller vorwärts und wand sich schlingernd durch die Wellen. Hinter meinem Sessel erstreckte sich ein langes Fenster. An der gegenüberliegenden Wand, hinter dem Sessel des Kapitäns, hing ein heiteres Gemälde des Palastes von Sanssousi in Potsdam.

»Ich muß eine Sache ganz klarstellen, Mr. Landolfi«, sagte der Kapitän, und sein Gesicht nahm plötzlich die Farbe von Roter Bete an. Er schlug sogar mit der Faust auf den Frühstückstisch, so daß das Eßbesteck heftig klirrte. »Dies ist mein Schiff, und solange Sie darauf sind, werden Sie meinen Befehlen gehorchen. Gestern abend waren Sie zum Essen eingeladen. *Sie sind nicht erschienen.* Auf diesem Schiff werden Sie künftig tun, *was ich sage.* Ist das klar? Ich hatte schon immer den Eindruck, daß Italiener sehr unzuverlässige Menschen sind. Hatten Sie, Herr Grünewald, diesen Eindruck im letzten Krieg nicht auch? Ah, aber für Italien – die schwache Bauchseite. Ah, aber für Italien!« Und beiläufig wies er den umherstreifenden Steward an, auf meinen Teller Würste zu stapeln.

Die Gespräche am Tisch wurden wiederaufgenommen, als wäre nichts Außergewöhnliches geschehen.

Es handelte sich um Gespräche, fast völlig auf Englisch geführt, über das angenehme Wetter auf See. Der japanische Junge blieb stumm. (Es sickerte durch, daß er kaum Englisch sprach und nur sehr wenig Deutsch. Da ich selbst Japanisch spreche, mußte ich ihn, so wie die Dinge standen, in meine Obhut nehmen. Sein Vater, ein fanatischer Militarist, schickte ihn nach Deutschland, wo er Kenntnisse als Segelflugzeugpilot erwerben sollte, und mutmaßte, daß er das Deutsche unterwegs fließend sprechen lernen würde. Unglücklicherweise für den eifrigen Jungen sprach niemand Deutsch. An diesem ersten Morgen, als er sah, wie ich zurechtgewiesen wurde – ohne die Bedeutung der Worte zu verstehen –, starrte er mich wie ein Kamikazepilot mit ausdruckslos wirkender Feindseligkeit an.)

Zu sagen, daß ich zutiefst schockiert war, wäre eine Untertreibung gewesen.

Ich werde nicht von jedem dieser Zwischenfälle berichten, die so sehr meine Gemütsruhe und meine ›japanische Empfindsamkeit‹ störten, daß ich innerhalb weniger Tage – angesichts der scheinbaren Ewigkeit, die mir bevorstand, und der Unendlichkeit sich nichtssagend wiegenden Wassers, das mich umgeben sollte, bis wir endlich Panama vor uns auftauchen sähen – daran zu zweifeln begann, ob es mir möglich sein würde, auch nur eine einzige Seite meines Buches niederzuschreiben oder mich wirksam auf sonst irgend etwas konzentrieren zu können. So verzweifelt war ich, daß ich sogar daran dachte – beinahe ernsthaft – über Bord zu springen. *Alles,* nur um von diesem erbärmlichen Gefangenenschiff herunterzukommen! (Vielleicht sollte ich hinzufügen, daß die Ladefläche so sehr mit zusätzlichen, durch Ketten befestigten Containern befrachtet war – zwei Fuß hoch –, daß man vom Mannschaftsdeck aus bloß in den Ozean hinüberzutreten brauchte.)

Doch von einigen Zwischenfällen muß ich wohl berichten, einfach als Vorbereitung auf das, was später geschah.

Wie bereits angedeutet, waren die britischen Passagiere – von denen zwei an Bord der *Lübeck* schon um die ganze Welt gereist waren; die vier anderen hatten sich ihnen in Colombo angeschlossen – und die deutschen Offiziere an einer Maskerade beteiligt, einem geistigen Drama, das die nationalen Feindseligkeiten des Zweiten Weltkriegs neu inszenierte. Bei diesen Passagieren handelte es sich um britische Offiziere (mit ihren Damen), die der Aufsicht eines brutalen, höflichen Kommandanten unterstanden und dazu bestimmt waren, seine Autorität durch verschiedene feine Akte der Sabotage –

wie etwa Witzeleien, die der Kapitän nicht recht begriff – zu untermi-
nieren.

Zum Beispiel fragte die zerbrechlich aussehende (obwohl sehr
geistreiche) Mrs. Hetherington Herrn Grünewald eines Tages ganz
beiläufig und unschuldig, ob, da er doch bei den Braunhemden
gewesen sei, er auch den Stechschritt gelernt habe; und ob der
schwierig sei? Bald hatte sie den alternden Steward soweit, im
Nazimarsch seine Beine vorzuschnellen und quer durch den Salon zu
paradieren – in eben dem Augenblick, als der Kapitän auf der
Bildfläche erschien.

Doch dieser ›unschuldige‹ britische Scherz sollte sich wiederholen;
später sahen wir alle, wie der Chefingenieur dem Kapitän seinen
rechten Arm zum Hitlergruß entgegenstreckte – und der Kapitän gütig
darauf reagierte. Denn auch die Deutschen waren subtil, auf ihre
eigene Weise. Und in der Isolation des Pazifiks, wo – mit einer
Ausnahme – kein anderes Schiff in Sichtweite kam, wurde dieses Spiel
übertrieben real.

Und zwar in einem Maße, daß, als uns ein paar Wochen später ein
Schiff in entgegengesetzter Richtung passierte, alle britischen Passagiere – und ich unter ihnen – zur Reling strömten und winkten und
sprangen und »Hilfe! Hilfe! Rettet uns!« schrien. Natürlich hörte
keiner auf dem anderen Schiff unsere Schreie; doch der Kapitän der
Lübeck hörte sie klar und deutlich oben auf seiner Brücke und fiel mit
erstaunlicher Wut über uns her.

Es geschah während der Mahlzeiten, daß der Kapitän und seine Offiziere gewöhnlich ihre Rache übten. Denn obwohl sie uns nicht verhungern lassen konnten – da wir unsere Überfahrt ja bezahlt hatten und
es für sie eine Frage der Ehre war, daß wir den vollen Gegenwert dafür
erhielten –, konnten sie desungeachtet doch wenigstens dafür sorgen,
daß wir *gemästet* wurden . . . ganz im Geiste von Gefängniswärtern,
die für eine Gruppe sich im Hungerstreik befindlicher Suffragetten
verantwortlich waren. Der Kapitän schlug mit der Faust auf den Tisch –
seine bevorzugte Geste, um etwas Nachdruck zu verleihen.

»Das war gutes Fleisch«, rief er Herrn Grünwald zu. »Was für ein
Fleisch war das?« (Das war gut gefragt, denn alles Fleisch, das wir
aßen, war tiefgefroren aus Deutschland herbeigeschafft worden. Sie
hielten nichts davon, sich in fremden ausländischen Häfen wie Colombo oder Yokohama zu verproviantieren. Ob das Fleisch nun vom

Schwein, vom Schaf oder vom Rind war, es schmeckte immer genau gleich.) »Bring mehr Fleisch für alle!«

Das war eine besondere Qual für mich, bei meinem Sinn für die Feinheiten der japanischen Küche; und auch Mrs. Hetherington traf das schwer, wegen ihres schwachen Magens – obwohl sie ihren Mann stand. Aber es war nur ein Vorspiel zu dem erheblich exquisiteren sadistischen Ritual, das der Kapitän an jedem Sonntagmorgen statt eines Kirchgangs verfügte. Denn dann mußten wir Passagiere alle um elf Uhr morgens an Deck antreten, die Mannschaft war bereits auf dem Unterdeck versammelt, und ein von einem Fleischerhaken gehaltener Leinensessel wurde ausbalanciert. Wir wurden öffentlich gewogen. Das Gewicht dieser Woche, und im Vergleich dazu das der letzten Woche, wurde aus dem Notizbuch des Kapitäns laut verkündet. Die Mannschaft johlte begeistert oder buhte uns aus, je nachdem ob – und wenn, dann wieviel – ein Passagier an Gewicht zugelegt hatte. (Tatsächlich nahmen wir alle ständig zu, mit der einzigen erstaunlichen Ausnahme von Mrs. Hetherington. Ich nehme an, daß sie ihre Mahlzeiten wieder erbrach, wenn sie in ihre Kabine zurückkehrte. Ich wünschte, ich hätte ebenfalls Joga gelernt.)

Die einfallsreiche Entschuldigung des Kapitäns für dieses Ritual, als ich sie mir ausbat, bestand darin, daß er den Behörden in Panama das genaue ›Bordgewicht‹ der *Lübeck* nennen mußte, bevor er ihren Kanal benutzen durfte. Also ging er bloß methodisch vor und gehorchte Befehlen. Was konnte man einem solchen – ja – Geniestreich schon entgegenhalten?

Aber während er nur ›Befehlen gehorchte‹, die seiner eigenen regen Erfindungsgabe entsprangen, verlief das Leben auf dem Schiff selbst relativ zügellos. Daß wir Passagiere versuchen würden, seine Autorität zu untergraben, war blanke Ironie, da seine Autorität in den Augen der Mannschaft, die ihn als wankelmütigen und tyrannischen, nicht zuletzt scheinheiligen Leuteschinder betrachtete, ja schon längst ernsthaft unterminiert war. *Ihnen* war es nicht erlaubt, Frauen an Bord zu haben, aber der Kapitän hatte – auf dem Weg nach Japan – sein Lager mit einem weiblichen Passagier geteilt, einer Japanerin. Er hatte sie für die Dauer dieser Fahrt zu seiner Frau gemacht.

Um die Entrüstung der Mannschaft über diese Rassenmischung – oder ihren Neid darauf – zum Ausdruck zu bringen, war ein chinesischer Koch, der einzige Nicht-Arier in der Mannschaft, irgendwo im

Indischen Ozean ›über Bord gegangen‹. Die *Lübeck* hatte pflichtge-
mäß kehrtgemacht und die vorgeschriebenen sechs Stunden einen
Suchkurs gesegelt, aber sein Körper wurde nicht gefunden. Wir
nahmen natürlich an, daß man den chinesischen Koch nachts ins Meer
gestoßen hatte.

Außerdem waren einige Kämpfe unter Deck ausgebrochen; und ein
Mann, dem man die Vorderzähne ausgeschlagen hatte, stand jetzt für
die Dauer der Reise unter Arrest.

Das alles bringt mich zum Verhalten der Mannschaft gegenüber
Orientalen – ein Verhalten, das mir eine Qual war, nicht zuletzt
deshalb, weil ich, ein Italiener (und schlimmer noch, ein Sizilianer),
von ihnen als eine Art europäischer Orientale angesehen wurde:
dunkelhäutig, leicht erregbar und unzuverlässig.

Herr Jüngers Hobby waren Amateurfilme; und gleich an zweiter
Stelle auf die Folter der Mahlzeiten folgte die Folter, seine Amateurfilme sehen zu müssen, die nach dem Abendessen im Salon vorgeführt
wurden, um uns zu ›unterhalten‹.

In dieser Hinsicht blieb uns keine andere Wahl. Man konnte sich
nicht taktvoll in die eigene Kabine zurückziehen, um es sich bei einem
Exemplar von Tschikamatsus *Trommeln der Wellen zu Horikawa**
gemütlich zu machen. Mrs. Granger, die mit ihrem Gatten zusammen
an Bord der *Lübeck* als Billigversion einer Kreuzfahrt die Welt
umfahren hatte (und es bitter bereute), versuchte einer Aufführung zu
entrinnen, indem sie erklärte, die Filme schon zweimal gesehen zu
haben, und verschiedene scharfe Bemerkungen über die Qualität der
Filmothek in diesem schwimmenden Gefangenenlager machte. Der
Kapitän legte tatsächlich Hand an sie, drehte ihr den Arm auf den
Rücken und marschierte mit ihr – wobei er die ganze Zeit über jovial
grinste – in den Salon und setzte sie in ihrem Sessel ab.

Herr Jünger, der Zweite Offizier, war ein großer graumelierter
Mann mit wild flatterndem, elektrisch geladenem Haar, der auf dem
Westentaschenkreuzer *Graf Spee*** während des Zweiten Weltkriegs

---

* Tschikamatsu Monsaemon (1653–1724), ein aus einer Samuraifamilie stammender
  japanischer Dichter, schuf rund 160 romantisch-historische und bürgerliche Schauspiele
  und wurde auch als Meister des Puppenspiels (Dschoruri) bekannt. – *Der Übers.*
** So benannt nach dem deutschen Admiral Reichsgraf Maximilian von Spee
  (1861–1914), der am 1. November 1914 bei Coronel siegte, am 8. Dezember mit
  seinem Kreuzergeschwader bei den Falklandinseln aber eine vernichtende Niederlage
  hinnehmen mußte. – *Der Übers.*

Leutnant zur See gewesen war. Seine Frau ließ er stets zu Hause; aber auf dieser Reise begleitete ihn seine Tochter, der er als Geschenk zu ihrem einundzwanzigsten Geburtstag eine Kreuzfahrt um die Welt vermacht hatte. Einen Tag vor Panama sollte es einen Champagnerempfang geben, um das eigentliche Ereignis zu markieren – wozu wir natürlich alle eingeladen waren. Fräulein Jünger war auf eine bürgerliche Weise recht hübsch – und sie hatte eine gewisse Ausstrahlung und Anmut, einschließlich der Art, wie sie ungeduldig den Kopf hochwarf. Sie brachte alle Voraussetzungen, glaube ich, zu einer *gemütlichen Hausfrau* mit.

Herr Jünger reiste noch mit einem weiteren, unzertrennlichen Begleiter: einem grotesken rotblauen Gartenzwerg namens Fridolin – das Maskottchen und der Vertraute des Zweiten Offiziers.

Die Amateurfilme handelten alle von Fridolins Abenteuern. Es waren Reiseberichte der Welt, gesehen aus der Perspektive eines Zwerges – was vermutlich bewies, daß Herr Jünger in seinem Herzen ein Gemütsmensch war. (Aber ich werde keine groben Verallgemeinerungen über nationale Eigenarten machen. Mir sind Klischees ein Greuel.)

»Hier«, pflegte Herr Jünger stets auszurufen, »sehen Sie die Pyramiden. Und hier ist Fridolin.« Und wegen der Vorzüglichkeit seiner Filmkamera hatte er beide gleichermaßen im Brennpunkt. Fridolin schien genauso groß zu sein wie die Große Pyramide.

Aber es sollte noch schlimmer kommen. Denn Fridolin, mit seiner roten Nase und seinem von Fleisch und Bier angeschwollenen großen Bauch – dieser obszöne Nibelunge –, war erfüllt von einer Mischung aus fehlgeleiteter Lust, grausam praktizierten Humors und arischem Stolz.

Eine Filmsequenz zeigte bäuerliche Fährboote, die sich in irgendeinem asiatischen Hafen um die *Lübeck* drängten. Der Zweite Offizier befahl in diesem Moment, die Decks auszuspülen und den Kielraum trockenzulegen. Wie Fridolin von seinem sicheren Platz an der Reling aus lachte, als er sah, wie die zerlumpten orientalischen Einheimischen eine Dusche abbekamen. Die Tatsache, daß sie wahrscheinlich schon vor dreitausend Jahren eine Religion, Paläste, Philosophen und hochstilisierte Tanzdramen besaßen, hatte keine Bedeutung für Fridolin. Seine Vorstellungen von Kunst waren erheblich primitiver.

Schnitt: zu einer asiatischen Straße mit hinreißend schlanken Frauen in *cheongsams,* die sich von der Kamera fortbewegten, begafft von Fridolin, als die geschlitzten Kleider ihre Beine zeigten und sie ihre Hinterteile schwenkten. Die Kamera fuhr – im Zoom – an ein bestimmtes Hinterteil heran und folgte ihm die exotische Straße hinunter.

»Aha«, schrie Jünger, »sie gehörte *nicht* Fridolin! Sie war es, die entkam!«

Man führte uns noch viele solcher Bilder von Asiatinnen vor – von denen die meisten nicht Fridolin gehört hatten; obwohl einige schon . . .

Nun, es stellte sich heraus, daß Fridolin seine Lust in einer Anzahl asiatischer Bordelle befriedigt hatte; obwohl das natürlich, da Damen anwesend waren, bestenfalls angedeutet werden konnte.

Dies erklärte auch gewissermaßen den Beischlaf unseres Kapitäns mit der japanischen Passagierin – selbst wenn der Zwerg seines zweiten Offiziers an Tüchtigkeit wohl kaum zu überbieten war.

Eine der schlimmsten Szenen war die von Flößen mit verhungernden vietnamesischen Flüchtlingen in irgendwelchen toten Gewässern, die von Fridolin voller Gemütsruhe betrachtet wurden.

»Die da ist zu dürr für Fridolin!« kommentierte Herr Jünger.

Natürlich war Fridolin nicht untreu; denn schließlich waren diese Leute nicht ganz menschlich.

Die Kamera ging näher an ein verzweifeltes Gesicht heran, das seine Schönheit bewahrt hatte.

»Na, an *der* hatte er seinen Spaß!«

Fräulein Jüngers Interesse an diesen Filmen war recht verschieden von dem Fridolins, wie ich eines Tages feststellte, als sie in einem Augenblick der Erregung offen an Deck mit mir sprach.

Sie hatte die Kamera ihres Vaters dabei, als sie zur Reling geeilt kam, um eine Aufnahme zu machen, nachdem Herr Jünger ein Mannschaftsmitglied zu ihrer Kabine geschickt hatte, damit er ihr sagte, daß die *Lübeck* auf ein Walbaby gestoßen sei.

Nun hatte die *Lübeck* unten an der Wasserlinie einen sehr wulstigen Bug. Obwohl es den Anschein haben mochte, als würde ein schärferer Grad das Wasser schneller zerteilen, war dies in Wirklichkeit nicht der Fall. Der ›Wulst‹ verstreute eher Gischt über das Schiff. Zusammen mit den fehlenden Stabilisatoren kostete uns das wahrscheinlich insgesamt einen Tag Reisezeit – und brachte den Eigentümern im gleichen Maße Profit.

Tatsächlich war ein kleines Walbaby auf dem ›Wulst‹ gelandet und saß nun dort fest, verletzt. Obwohl das Tier von unserem Standort an der Reling aus unsichtbar war, schien uns sein Blut doch Beweis genug. Lange dünne Streifen roten Blutes zogen durch das blaue Pazifikwasser an uns vorbei – sehr zur Freude des Fräuleins, weil dies einen wunderschönen Farbkontrast ergab.

»Ooh!« rief sie aus und filmte emsig.

Das einzige fehlende Element war Fridolin. Fräulein Jünger hatte sich geweigert, ihn aus der Kabine ihres Vaters zu holen, um die Blutspur zu bewundern.

Leider. Mein Ellenbogen hätte Fridolin von Herzen gern ebenso zufällig ins Meer gestoßen, wie der chinesische Koch hineingestoßen worden war. (Obwohl ich vermute, daß die Folgen eines solchen Unfalls – für mich – hätten entsetzlich sein können. Man ersäuft nicht ungestraft die Hausgötter eines anderen Menschen.)

»Ooh!«

»Ah«, seufzte sie voller Enttäuschung, als die Blutspur verblaßte. Sie senkte die Kamera.

»Sie haben Fridolin vergessen«, stellte ich irgendwie bissig fest. Sie schmollte.

»Ich glaube, Sie mögen die Filme nicht, die mein Vater macht!«

»Vielleicht stelle ich eine kleine Ausnahme von Fridolins Perspektive auf das schöne Geschlecht dar: nämlich von hinten.«

»Oh, das ist weiter nichts! Zu Hause sind sehr viele Männer und Frauen sehr *intim* mit vielen anderen Frauen und Männern. Wir denken uns nichts dabei. Tatsächlich ist man froh, einmal nur mit einem Mann in Urlaub fahren zu können. Ich werde verheiratet, wenn wir zurückkommen«, fügte sie hinzu.

»Also erfreuen sie sich im voraus an einer Liegekur?«

»Nicht im geringsten!« Sie errötete bei dem Gedanken, daß ich sie moralisch beschuldigte, die Absicht zu haben, zu einer Person zu werden, die mit jedem schläft – wo ihr künftiges Verhalten doch der Gipfel des hygienischen Anstands sein würde.

»Aber ich frage mich, weshalb jemand die Monotonie der Ozeane dieser Welt ertragen soll – für wie lange: insgesamt drei Monate? –, wenn man ihn doch verheiraten will. Das kommt mir seltsam vor.«

»Da Sie fragen, Herr Landolfi, und da ich Sie nie wiedersehen werde, wenn wir erst von Bord gegangen sind, werde ich's Ihnen sagen.« Fräulein Jünger glättete ihr Haar, mit dem eine Brise spielte.

Ich sollte vielleicht erwähnen, daß ihr Gesicht, mit den rosigen Wangen und den hellblauen Augen und der kecken Nase, von einer Frisur aus kurzen schwarzen Locken umrahmt wurde. Sie glich einem Modell, das für ein Werbeplakat für Schokostäbchen posiert.

»Ich sehe aus wie ein kleines Mädchen, nicht wahr? Und ich möchte eine Frau sein. Ich wirke nicht weiblich genug, um Carls Frau zu sein – bei dem Umgang, den er pflegt. Seine Kollegen, deren Frauen und Mätressen . . . Er hat mich fortgeschickt, damit ich weiblich werde. Wenn ich heimkehre, werde ich ganz anders aussehen.«

»Aber wie?« fragte ich mich.

»Sie werden's schon sehen, auf meiner Geburtstagsparty.«

»Erzählen Sie es mir jetzt, ja? Es interessiert mich.«

»Das wäre aber gar nicht nett! Es würde allen den Spaß verderben.«

»Und der Spaß zählt, nicht wahr?« *(Wie das helle Blut der See,* dachte ich.) »*Bitte* sagen Sie's mir. Ich behalte es auch für mich.«

Sie gab nach.

»Oh, also schön. Mein Vater hat ein ganz besonderes Geschenk für mich: eine lange schwarze Perücke. Ich werde sie tragen, wenn ich zu meiner Hochzeit heimkehre. Ich werde eine erfahrene Frau sein.«

»Aber . . . jeder kann doch eine Perücke kaufen, oder? Sie könnten sich in Deutschland eine kaufen und sie am folgenden Tag tragen.«

»Nein. Sie verstehen nicht. Ich würde in meinen Kreisen ausgelacht werden. Es wäre zu plötzlich: *Die Verwandlung** . . . die Metamorphose. Wir haben unsere eigenen kleinen Regeln der Etikette. Mein langes Haar will errungen sein. Es muß eine Trophäe sein. Eine Eroberung. Solche Sachen müssen das immer sein. Sonnenbräune aus ultravioletten Lampen ist *Betrug.*«

»Sie meinen, wie der Kopfputz eines Indianers?«

»Oh, *das* glaube ich kaum!« Sie war im Begriff, erregt davonzustürmen.

»Warten Sie! Ihre Freunde werden also alle die Vermutung in Umlauf bringen, daß Sie sich das Haar während der Reise haben wachsen lassen?« (»Weil Sie nichts besseres zu tun hatte . . .«)

---

* Deutsch im Original, was sichtlich auf Kafkas Erzählung gleichen Titels verweist. – *Der Übers.*

»Ist Ihnen denn nicht«, fragte sie verträumt, »all das herrliche lange Haar in den Filmen meines Vaters aufgefallen? Oh, es ist an diese Frauen verschwendet – aber nur orientalisches Haar wächst so rasch und so stark. Deshalb können sie es auch verkaufen und sich eine neue Ernte wachsen lassen.«

»Ich glaube, sie verkaufen ihr Haar eher, weil sie sonst verhungern!« widersprach ich wütend. »Sie verkaufen es an die Perückenmacher, weil es die einzige Möglichkeit ist, ein bißchen Geld für einen Beutel Reis zu verdienen. Das ist noch schlimmer als seinen Körper zu verkaufen: Es heißt, Jahre seines Lebens zu verkaufen – die Jahre, in denen das Haar wächst. Es ist . . .«

»Ach, das glauben Sie, ja?«

»Sie sind keine Herde Schafe, nicht wahr.«

Plötzlich wirkte Sie, als wollte sie in Tränen ausbrechen.

»Ich habe Ihnen mein Geheimnis anvertraut! Und jetzt schütten Sie Spott über mich aus. Sie sind alles andere als ein Gentleman.«

Aber ich kam nicht umhin, mir die Berge geschorener Haare in den Konzentrationslagern ins Gedächtnis zurückzurufen, wie sie von den Alliierten auf Filmen festgehalten worden waren. Doch dieser Gedanke wies mir einen Weg hinaus aus dem Dilemma, da ich es nicht riskieren konnte, mich mit ihr zu verkrachen – nicht auf diesem Schiff, wo sie der Augapfel ihres Vaters war.

»Na, verschwenden Sie nicht Ihre ganzen Filme ans Meer«, schlug ich vor. »Ihr Vater wird von Ihrer Geburtstagsfeier sicher Aufnahmen machen wollen.«

»Er hat eine Menge Filmpacken in seiner Kabine«, gab sie zurück. »Und viele entwickelte Filme, die Sie noch nicht gesehen haben!«

Diesmal stürmte sie davon, und zwar unangefochten bis in ihre Kabine.

Gemäß ihres angedeuteten Versprechens – oder ihrer Drohung – fand zwei Tage später nach der Mahlzeit, die aus einer doppelten Portion Kalbfleisch bestanden hatte, ein weiterer Amateuerfilmabend statt.

Wir wurden in den Salon getrieben, man zog die Vorhänge vor die Fenster, und das Licht wurde gelöscht. Auf dem Bildschirm flackerten weiße Zahlen, dann tauchten zitternd Farben auf.

Eine Dschunke trieb auf einem ruhigen blauen leeren Meer, beladen mit Menschen und ihrer Habe. Achtzig oder neunzig Men-

schen waren auf diesem winzigen Boot auf engsten Raum zusammengepfercht. Es war ein Wunder, daß es nicht schon gesunken war.

»Das war vor sechs Monaten«, kommentierte Herr Jünger. »Es
handelt sich um Boat People. Aus Vietnam. Die *Lübeck* begegnete
ihnen zufällig auf dem offenen Meer. Aber naja, es war uns nicht
möglich, sie ins Schlepptau zu nehmen. Unser Schiff zieht zuviel
Kielwasser nach sich. Ihre Dschunke wäre gekentert.«

Fridolin strahlte die Flüchtlinge mit unverschämtem Wohlwollen
an.

»Und wir konnten sie ja schlecht als Deckpassagiere aufnehmen.
Die Decks waren viel zu sehr mit Containern beladen, wie üblich.«

Die Kamera näherte sich rasch den nach oben gewandten Gesichtern und streifte umher. Sie glitt über eine außergewöhnlich schöne
Chinesin mit langem schwarzem Haar hinweg, gekleidet in ein
schmutziges, zerrissenes Hemd und einen Rock. Während die *Lübeck*
das Anschwellen der See erwiderte, schien Fridolin – wohl verwahrt
an seinem sicheren Aussichtspunkt – zu nicken.

»Selbstverständlich gaben wir ihnen Lebensmittel und Wasser –
und funkten ihre Position durch. Eine kommunistische Patrouille oder
Piraten hatten sie ihres gesamten Goldes beraubt.«

Die nächsten paar Einstellungen waren unterbelichtet und von so
kurzer Dauer, daß ich mich fragte, ob die Kamera zufällig gearbeitet
hatte – durch Fridolins Klebefinger? –, oder ob ein ganzer Teil des
Films beschädigt ausgeliefert worden war.

Aber ich *weiß*, daß ich den halbnackten Körper einer Frau gesehen
habe, die auf einer Bank lag, das schwarze Haar um sie ausgebreitet.
Und ich weiß, daß in eben diesem Moment Fräulein Jünger mich
ansah.

Die nächste Szene zeigte die Dschunke, wie sie jenseits des
gischtenden Kielwassers der *Lübeck* in der Ferne verschwand. Es war
inzwischen später Nachmittag; die Sonne hatte sich um einige Stunden
weiterbewegt. Auf dem Heck der Dschunke konnten wir gerade noch
eine kahlköpfige Gestalt in Lumpen ausmachen (vielleicht ein alter
Mann, vielleicht eine junge Frau), die ein Bündel an sich gepreßt hielt,
als gälte es ihr Leben. Vielleicht war es ein Baby, vielleicht waren es
Lebensmitteln.

»Wir hoffen, man hat sie in einen Hafen geschleppt. Aber wer will
sie schon?« seufzte Herr Jünger. »Na, jedenfalls haben wir sie hübsch

aufgepäppelt – obwohl ich annehme, daß zuviel Fleisch ihren Mägen nicht bekommt.«

»*Wurden* sie denn gerettet?« erkundigte sich Mrs. Hetherington.

»Ich weiß nicht. Wir haben nichts davon gehört. Es gibt zu viele solcher Dschunken, die im Chinesischen Meer treiben. Der Kommunismus ist schuld. Jedenfalls haben wir unsere Pflicht getan.«

»Arme Seelen – aber was will man machen?« fragte Mrs. Hetherington. »Es gibt in unserem Land schon zu viele Einwanderer. Man muß nachsichtig sein, aber sie bringen die Wirtschaft in Unordnung.«

Eine Weile schien ein verabredetes einvernehmliches Stillschweigen zwischen den deutschen Offizieren und den britischen Passagieren zu herrschen. Und ich überlegte, ob ich als einziger von allen Passagieren ahnte, was wirklich geschehen war . . .

Wir waren schon seit einer Ewigkeit auf See und hatten eine so grenzenlose Unermeßlichkeit durchkreuzt, wie man sie auf Erden nur finden kann – aber am folgenden Tag sollten wir in den Straßen vor Panama ankommen, wo wir wieder auf Schiffe treffen und uns in die Schlange derer einreihen würden, die den Kanal durchqueren.

Und so war Fräulein Jüngers Geburtstag gekommen. Und sie wurde einundzwanzig.

Mit der Feier wurde begonnen, kaum daß der Abend anbrach, markiert durch das Versinken der Sonne hinter den Horizont. Nicht der Abschuß eines Feuerwerks in den Himmel sollte das Zeichen für das Knallenlassen der Champagnerkorken sein – was so nahe der aufeinander zustrebenden Schiffahrtsstraßen leicht als Abfeuern von Notraketen hätte mißverstanden werden können. Nein, nicht ein Feuerwerk, sondern ein bemerkenswertes Naturphänomen, von dem wir hofften, daß es sich bei Einbruch der Nacht wieder ereignen möge. (Und wenn nicht, war es auch nicht schlimm! Es war ja wohl kaum ein Omen . . .) Ich beziehe mich auf den ›grünen Blitz‹. An wolkenlosen, ruhigen, heißen Tagen wie diesem leuchtet im Pazifik, wenn man, nachdem der Nordpol der Sonne versunken ist, zum Horizont blickt, aufgrund irgendwelcher atmosphärischer Eigenschaften dicht über dem Meeresspiegel ein hellgrünes Licht auf, nicht länger als ein oder zwei Sekunden.

Alle versammelten wir uns, um es zu betrachten: Passagiere, Offiziere und das Fräulein. Wir hatten den grünen Blitz bereits andeutungsweise gesehen, vielleicht dreimal in den vergangenen paar Wochen – und die Suche danach hatte eine Art ›mystischer‹ Bedeutung angenommen, als huschte dieser Lichtblitz von Asien über den gesamten Pazifik, nur um uns einzuholen; als könnten wir, wenn es uns gelänge, ihn zu filmen und unglaublich zu verlangsamen, in diesem Blitz Bilder von Pagoden und Dschungeln, Reisfeldern, dem Fudschijama und Ankor Wat sehen – als wäre dies das ozeanische Gegenstück der Wüstenhalluzinationen, von Bergen, die aus weiter Ferne gespiegelt werden.

»Dort!« rief Mrs. Hetherington und wies mit dem Finger hinaus – überflüssigerweise, denn unser aller Augen waren darauf gerichtet.

Es war der hellste grüne Blitz, den es je gegeben hatte. Und schon war es wieder vorbei; der Meeresspiegel lag ruhig wie immer.

Prompt knallte der erste Champagnerkorken; und ein Schaumstrahl ergoß sich über die Reling.

Recht bald waren alle Gläser gefüllt, und der Kapitän hielt eine kleine Rede. Wir prosteten Fräulein Jünger zu, und sie lachte fröhlich, so daß sich ihr Schokostäbchen-Werbegesicht in Falten legte.

Herr Jünger holte eine runde Schachtel hervor – eine Art Hutschachtel – und reichte sie ihr.

Das Fräulein riß das Band fort und ließ es aufs Meer hinausflattern. Es krümmte sich auf dem Wasser wie eine rote Schlange, die heckwärts eilt.

Dann zog das Fräulein eine lange schwarze Perücke aus der Schachtel. Sie baumelte schwarz und glänzend, reich und prächtig.

»Ooh!« rief sie aus und huschte ins Innere, um sie vor dem Spiegel anzuprobieren, kehrte vielleicht fünf Minuten später verändert zurück. Und dann kam die Party so richtig in Schwung.

Wir alle tranken zuviel, sogar die Briten.

Zum Glück – oder auch nicht – war es dann Zeit für das Abendessen. Etwas Ballast.

»Oh, warten Sie«, rief Fräulein Jünger, als wir uns um den Tisch versammelten. Sie streichelte ihr langes neues Haar. »Ich glaube, ich möchte nicht, daß Fleischsaft darauf kommt.«

»Wie nett Sie das sagen«, meinte der Kapitän. »Welch hübscher Akzent.«

»Nicht wahr?« stimmte ihr Vater zu. Zu dieser besonderen Gelegenheit hatte er Fridolin hereingebracht und mitten auf das Tischtuch gesetzt, damit er den Vorsitz führte. »Fridolin wäre so unglücklich. Es ist eine ganz besondere Perücke, für eine ganz besondere Tochter. Es ist kein Zwischending, aus den Haaren verschiedener Leute gemacht. Sie stammt vollständig vom Kopf einer einzigen Frau, die ich gut dafür bezahlte. Ich habe sie extra für dich gekauft und habe sie extra für dich anfertigen lassen, Liebchen.«

Das Fräulein huschte davon, um ihr neues Haar in der Kabine zu verstauen, während wir unsere Plätze einnahmen.

Zwei Minuten später kehrte sie stirnrunzelnd zurück. Sie trug die Perücke noch immer. Ihre rosigen Wangen waren aschfahl.

»Ich kriege sie nicht herunter!« Sie musterte die britischen Passagiere. »Was für ein Spaß ist das? Jemand hat Leim hineingegossen.«

»Unsinn«, sagte Herr Jünger. »Du hast die Innenseite befühlt, bevor du sie überzogst. Sie läßt sich leicht wieder abstreifen.«

»Aber es *geht* nicht.«

»Laß mich mal versuchen. Vielleicht sitzt sie nur ein bißchen eng.«

Er versuchte es, derweil Herr Grünewald zögerte und gern das abendliche Fleisch hätte servieren lassen. Der Vater des Fräuleins zottelte am Kopf seiner Tochter; und sie schrie vor Schmerz auf.

»Halt!«

»Als zöge man an Ihrem eigenen Haar, nicht wahr?« erkundigte sich Mrs. Hetherington mit einem Anschein von Mitgefühl.

»Nein.« Das Fräulein hielt ihren Kopf. »Das nicht. Es ist, als wären Drähte in meinem Kopf. Als steckten sie in meinem Gehirn. Wie lebende Nerven. Ich bin ganz verwirrt. Meine Gedanken spielen verrückt – Worte können das nicht ausdrücken! Ich kann den Schmerz einfach nicht ertragen, wenn man daran zieht.«

Die Perücke ließ sich nicht wieder entfernen. Es war, als hätte der grüne Blitz aus Asien die Perücke an ihrem Kopf festgeschweißt.

Man mußte dem Fräulein ein Beruhigungsmittel geben und ihr strenge Bettruhe verordnen.

An diesem Abend gab es merkwürdigerweise keine zweite Portion Fleisch – obwohl Fridolin mit unverminderter, rundlicher Jovialität über das mißratene Fest wachte.

Auch am darauffolgenden Tag ließ sich die Perücke nicht entfernen. Sie klammerte sich fest wie ein schwarzer Blutegel.

Wir waren in Panama angekommen und trieben auf einer flachen blauen Weite hinter mehreren anderen Handelsschiffen dahin, die alle auf den Riß in Amerika zuhielten.

Das Fräulein saß draußen auf dem Deck im Sonnenlicht, das jetzt, da wir dem Land so nahe waren, sehr viel heißer geworden war. Man hatte ihr ein altes Bettuch umgelegt. Eines der Besatzungsmitglieder, ein Elektriker, der gleichzeitig als Friseur an Bord arbeitete, war abgestellt worden, ihr mit seiner Schere die fremde Haut vom Kopf zu schneiden. Aus irgendeinem Grund schien es sehr wichtig zu sein, daß jede noch so kleine Strähne über die Reling in den Ozean geworfen wurde, damit sie nach Asien zurücktreiben konnte, bevor die *Lübeck* den Pazifik gegen ein anderes Meer eintauschte.

Als der Friseur den ersten Schnitt machte, schrie Fräulein Jünger grauenvoll auf.

»Nein!« Sie entriß ihm die Schere und umklammerte ihren Kopf. »Der Schmerz! Sie lebt. Es ist, als schneide man mein Fleisch mit Feuer! Ihr Haar lebt. Es hat Wurzeln geschlagen. Sie ist tot – ich weiß, daß sie tot ist. Aber sie lebt darin weiter! Ihre Seele ist in ihr Haar geflossen – wie bei Samson die Kraft!«

Dann plapperte sie eine Weile in einer uns unbekannten Sprache, als redete sie in zwei verschiedenen Sprachen mit sich selbst.

Es konnte nicht sein, und doch . . . Entsetzt standen wir davor; keiner von uns hatte auch nur eine Ahnung davon, was er hätte tun oder sagen können. Außer vielleicht, um Gnade für etwas zu bitten. Oder für jemanden, dessen Sprache wir nicht beherrschten.

Das Schiff tutete.

»Wir *müssen* einfach Fahrt aufnehmen und hindurchsegeln«, sagte der Kapitän. »*Jetzt*. Der Lotse kommt. Herr Jünger, bitte!«

Fräulein Jünger zog das zerschlissene Tuch wie das dünnste Bauerngewand fester um sich. Sie hielt immer noch die Schere in einer Hand – und ich fragte mich, ob Herr Jünger sich vor sechs Monaten eben diese Schere vom Elektriker ausgeliehen hatte. Sie starrte wild vor sich hin auf den grünen Dschungelsaum von Panama, das Asien der beiden Amerikas, heimgesucht von den Eingeborenen in ihren schmutzigen Lumpen. Ihr Verstand trübte sich, wurde von einem anderen toten Verstand verdrängt.

Und auch ich war schuld daran. So schuldig wie jeder. Denn ich hatte am Geburtstag des Fräuleins Champagner getrunken. Und ich war nicht schon vor Wochen über Bord gesprungen, in das warme Vergessen des Pazifiks.

Wie üppig und reich das Haar des Fräuleins war. Wie es auf ihr gedieh. Sie sah wie eine neue Frau aus. Und sie würde mit uns allen in der Sargassosee und dann für beinahe einen weiteren Monat im Atlantik allein sein.

Wie sollte Fridolin diese Reise überleben?

Oder auch nur einer von uns. Oder auch nur einer von uns.

HERRIN MARGARIT:

Beharrlichkeit ist ein herrliches Wort. Ich stelle es mir abwechselnd als Obelisken aus weißem Salz oder als Pyamide aus blauem Eis vor.

In Beharrlichkeit ist »Strenge« enthalten. Dies ist das in die Wunden geriebene Salz, das Salz, das den ganzen Winter über das Fleisch konserviert. Salz war auch das Schicksal von Lots ungehorsamem Weib.

Ebenfalls enthalten ist das für immer »Andauernde«. Dies ist das duldsame Eis.

Manchmal wünschte ich, man hätte mich Beharrlichkeit genannt, so wie man andere Frauen Patience oder Felicity oder Grace genannt hat.* Aber ich heiße Margarit, nach der Blume, die nun ebenso ausgelöscht ist wie alle anderen Blumen. Wenigstens waren Margariten meist weiß, wie der Schnee weiß ist.

Aber niemand wagt es, mich beim Namen zu nennen. Man nennt mich Herrin der ganzen gefrorenen Welt. Dr. Sovrenian hat mir das versprochen, und auf Sovrenian habe ich mich in all diesen Jahren immer verlassen können. Sein Verstand ist klar wie Kristall; er ist an den Rändern nie geschmolzen, wenn es Zeit war, eine schwierige Entscheidung zu treffen. Natürlich meine ich das metaphorisch: Er und ich sind ebenso Warmblüter wie jeder andere in der Enklave. Ich habe jedoch einen Hang bei den Menschen festgestellt, sich ihrer Umgebung anzupassen. Unsere momentane Umgebung ist selbstverständlich die aus Metall geschaffene Enklave. Deshalb ist die junge Wache vor meiner Tür auch so ehern wie ein stählerner Bolzen. Er ist zwischen Stahl großgeworden und imitiert ihn nun starr und geschliffen. Dieser Junge hat nie eine Grasfläche gesehen, die im Wind wogt, oder das Kräuseln der Wellen auf einem Fluß. Womöglich würde ihn eine solche chaotische Bewegung entsetzen.

---

* Unübersetzbares Wortspiel mit ›perseverance‹ (Beharrlichkeit). Im Deutschen gibt es allenfalls lateinische Entsprechungen zu diesen englischen Namen: Felicitas, die Glückliche; Gracia, die Anmutige. – *Der Übers.*

Einst gab es Margariten, die auf Grasebenen wuchsen. Aber wenn man letztlich gewinnen will, muß man bereit sein, solche Dinge wie Gras und Blumen zu opfern.

Stahl ist unsere momentane Umgebung. Doch außerhalb davon ist alles Eis; dieses Eis ist es, das unseren Charakter formt. Deshalb ist alles in meinem gegenwärtigen Zimmer entweder weiß oder blau. Wände, Schreibtisch, Teppiche, die Daunendecke auf dem Bett, selbst mein Haar wird mit der Zeit weiß. Unsere Haut ist weiß, weil sie niemals die Sonne sieht; doch meine Augen sind von einem stechenden Blau. Ich trage einen blaukarierten Rock und eine weiße Bluse, die mit Spitzen besetzt ist. Meine Schuhe sind weiß mit blauen Kuppen.

Und jetzt wird es Zeit, mein Kriegskabinett zu treffen. Nachdem ich zwei- oder dreimal mein Haar vor dem Spiegel gerichtet habe, setze ich mich an meinen Schreibtisch. (Spiegel sind wie Fensterscheiben aus Eis, finden Sie nicht? Überall in der Enklave hängen Spiegel herum, verdoppeln die Ausmaße der Zimmer und Korridore. Diese Spiegel waren meine Idee.)

Schließlich drücke ich auf den Summer.

DR. SOVRENIAN:

Und jetzt möchte ich mit der Poesie Schluß machen; denn es liegt Schönheit im Vergessen. Hier ist das letzte Gedicht in der Weltgeschichte; wenn mein Gedicht in Prosa geschrieben ist, dann deshalb, weil ich eben ein solcher Mensch bin . . .

Oh, es war nur ein simpler Wetterkrieg, mit dem alles begann! Ein Verfahren, die Wälder des Feindes einzufrieren, Schnee und Frost hervorzurufen, um sein Land in Ketten aus Eis zu legen. Doch sie stahlen uns die Technik oder entwickelten selbst eine. Sie begannen, unsere eigene Hemisphäre einzufrieren.

Erinnern Sie sich noch an die Diamantstaub-Katastrophe? Die Pracht der Eiskristalle hoch droben in der äußersten Atmosphäre?

Erinnern Sie sich noch an die Zugvögel, die erstarrt vom Himmel fielen, als wäre jeder von einer Kugel aus Eis getroffen worden?

Erinnern Sie sich an die vorwärtsdrängenden Gletscher? Wie eine Armee erstarrter Riesen, die für das Gute und das Wahre kämpfte.

Gegen das Böse. Oder wie böse Riesen, die gegen das Wahre und das Gute kämpften – je nachdem, ob wir von unserer oder von ihrer Hemisphäre ausgehen.

Wir hatten inzwischen unsere eigene Enklave geschaffen. Aber der Feind auch.

Ich frage mich, wo das letzte wilde Tier starb; und das letzte freilebende Wesen. Ich frage mich, wo der letzte Grashalm erfror.

Aber das war erst der Anfang des Kalten Krieges – obwohl wir das nicht ahnen konnten, als alles begann! Ständig verbesserten wir unsere Techniken; sie die ihren. Erinnern Sie sich noch, als alle Ozeane erstarrten und die Küsten zersprangen?

Erinnern Sie sich daran, wie die Atmosphäre selbst gefror und als Schnee niederfiel, die Welt so luftleer wie den Pluto zurückließ?

Wie sehr wünschte ich mir, dieses Lied meiner Herrin der Kälte vortragen zu können. Aber ich kann nur in wissenschaftlichen Termini mit ihr sprechen; sie nur in politischen Termini mit mir. Sie ist unser unbeugsamer Führer, in flüssigen Sauerstoff getaucht. Mein Lied könnte sie zerschmettern.

GENERAL HARKER:

5300 Seelen: So viele von uns gibt es in der Enklave. Mehrere hundert sind aus natürlichen Gründen gestorben, seit der Krieg begann; einige dutzend wurden geboren, in letzter Zeit niemand.

5000 Männer stehen 300 Frauen gegenüber. Deshalb gibt es natürlich eine Tendenz der Männer, homosexuell oder automechanisch oder sonst etwas zu werden, um den ganzen Sexkram zu ignorieren, so wie ich es getan habe. Unsere Herrin der Kälte würde es den Offizieren nicht erlauben, mit niederen Rängen, äh, Umgang zu pflegen. Ohne ihre Disziplin wären wir wohl schon vor Jahren aus sämtlichen Nähten geplatzt. Aber wir platzten nicht: Wir sind voll reiner Entschlußkraft, rein wie der Schnee.

Homosexuelle oder automechanische Aktivitäten kümmern sie nicht. Es ist ein Sicherheitsventil. Manche Männer brauchen das. Das Fleisch ist schwach. Aber tatsächlich glaube ich, daß derlei Dinge in den letzten Jahren ausgestorben sind. Ein großer Hinweis auf unseren

Eifer – eine Sache, der wir uns rühmen können – ist, daß hier unten in der Enklave nie eine Frau vergewaltigt wurde. Wie sollte das auch möglich sein, mit unserer Herrin an der Spitze? Ihre Führung dämpft die Lust; meine hat sie ganz sicher gedämpft. Vor langer Zeit gestaltete sie mich vom Tier in den Geist um, in den Willen. Ich glaube, ich könnte zu ihr beten. Doch statt dessen muß ich militärische Belange diskutieren.

Sie läßt uns länger ausharren als üblich, finden Sie nicht?

Ich glaube, ich habe mein Zeitgefühl verloren. Es ist beispielsweise schwer zu glauben, daß der Kalte Krieg erst vor fünfundzwanzig Jahren begann. Seither sind solche Fortschritte in der Technologie der Wärmekontrolle gemacht worden! Im Laufe meiner Karriere habe ich an dieser Front dermaßen viele Neuerungen gesehen wie nicht in einer Million Jahre davor, zwischen der ersten Zähmung des Feuers und dem nuklearen Hochofen. Aber wie mühsam ist es, durch die Linse der Erinnerung einen Blick zurückzuwerfen und sich ins Gedächtnis zu rufen, wie die Welt einmal war? Es ist, als umfaßte mein Arbeitsleben nicht Jahrzehnte, sondern Äonen, ein ganzes geologisches Zeitalter. Von einer warmen Welt bis zu einer Eiszeit. Und doch war es von damals bis heute eine absolut logische, folgerichtige Entwicklung.

Ah, ihr Summer ruft uns.

HERRIN MARGARIT:

»Meine Herren! Bitte nehmen Sie Platz.«

»Madam«, sagt General Harker.

»Herrin«, sagt Sovrenian.

Die anderen zählen nicht viel: Robinson vom Innenministerium, Stanley vom Amt für Rohstoffe, Lebensmittel und Energie . . . Doch es ist so Brauch, sie dabeizuhaben; sie sind ein traditioneller Bestandteil meines Kabinetts, und wofür kämpfen wir, wenn nicht für die Bewahrung unserer Traditionen?

Selbst mein General Harker zählt nicht viel. Es ist Dr. Sovrenian, auf den ich angewiesen bin. Ich frage mich, ob er es ahnt? Sicher nicht. Ich muß um unser aller willen unangreifbar bleiben. Ich habe ihn das nie merken lassen.

Als es Zeit für seinen Bericht ist, erlaubt er sich die Andeutung eines stolzen Lächelns. »Die neuen Umwandler haben sämtliche Tests absolviert, Herrin. Wir können den Versuch starten.«

»Heute?«

Und er nickt.

»Dann wollen wir's heute angehen, meine Herren. Heute werden wir die Welt vom Bösen befreien . . . zu guter Letzt. Ich bete darum, daß wir es schaffen. Ich werde den Befehl persönlich geben.«

»Aber natürlich.« Die anderen verbreiten eine Atmosphäre der Müdigkeit um sich. Ich habe in den letzten fünfundzwanzig Jahren verschiedene Innenminister, verschiedene Generäle miterlebt: Aber Dr. Sovrenian ist mir immer treu geblieben.

»Wir treffen uns morgen früh um drei Uhr im Kriegszimmer. Ich danke Ihnen, meine Herren.«

GENERAL HARKER:

Was für ein netter Ort dieses Kriegszimmer ist. Hier gibt es soviel freien Raum. Es sollte mich nicht überraschen, wenn einige aus dem jüngeren Personal ihn nicht ertragen können. Sie würden nach Luft schnappen und um sich schlagen wie Fische auf dem Trockenen. Niedergerungen von Platzangst.

Schauen Sie sich um. Beachten Sie die Reihen der Thermokonsolen. Sie sind Dr. Sovrenians Reich, doch die Anzeigemonitore an den Wänden sind das Meinige, und sie enthalten im Kleinen die ganze Welt. Mit einer raschen Messung nehme ich das Wetter über beiden Hemisphären auf, gehe dann durch die verschiedenen Schalen der planetaren Zwiebel tiefer, bis ich den immer noch warmen Kern der Erde erreiche.

Darüber liegt die Oberfläche der Welt mit einem Zehntel Grad über dem absoluten Nullpunkt. Die zwei eingelassenen heißen Stellen im Osten und Westen – unsere Heimatenklave und die des Feindes – erscheinen als gleißende Feuerflecke, Flecke aus rotem Blut inmitten der anders kodierten blauen Schatten. Weiter unten wird es kälter und mit zunehmender Tiefe blauer; dann markiert ein dunkelrotes Glühen den Kern selbst.

Einhundert Menschen haben Dienst. Wie üblich ist das Kriegszimmer ruhig und gelassen – und doch ist es ein in fieberhafter Aktivität verfallener Schwarm, verglichen mit allen anderen physikalischen Vorgängen, die auf dem Planeten stattfinden (außer in der entsprechenden Feindbasis im Osten).

Ein absurder Gedanke kommt mir: Angenommen, die Feindbasis wurde in Wirklichkeit schon vor Jahren blau, und wir haben es aufgrund einer Fehlfunktion im System nur nie erfahren?

Natürlich gibt es keine Fehlfunktion. Scheinbar lasse ich langsam nach . . .

Sovrenian beobachtet mich von seiner Hauptkonsole aus. Ein Lächeln auf seinem Gesicht – oder sogar ein boshaftes Grinsen. Habe ich mir etwas vorgemacht? Ich bin versucht, zu ihm zu gehen und mit ihm zu reden, um mich meiner zu vergewissern.

Es ist Viertel vor drei.

DR. SOVRENIAN:

Harker sieht aus, als ahnte er etwas. Eigentlich kann ich mir nicht vorstellen, wie das möglich sein soll, es sei denn, seine Intelligenz hat plötzlich einen gewaltigen Sprung nach vorne gemacht. Ich habe dem elenden Narren schon seit Jahren etwas vorgemacht; ich denke, ich kann ihn unbeschadet zum Besten halten. Tatsächlich ist das Endspiel jetzt unvermeidlich. Unsere Herrin der Kälte wird ihre Meinung nicht mehr ändern. Wenn sie nur das wahre Ausmaß dessen erfassen könnte, was geschehen wird! Vielleicht ahnt sie es, aber ich kann sie wohl kaum fragen. Vertraulichkeiten würden unsere Beziehung verunreinigen.

Der General schaut zu mir herüber, fragt mit stupider Jovialität: »Der letzte Schlag, eh?«

»Vielleicht«, sage ich unbekümmert, »frieren wir heute ja die Zeit selbst ein.«

»Eh? Was meinen Sie damit?«

Ich *werd's* ihm sagen. Das ändert jetzt auch nichts mehr.

»Nun, es ist folgendermaßen, mein lieber General. Keiner glaubt je wirklich, daß er sterben wird, stimmt's? Es scheint unmöglich zu sein, daß die Welt sich ohne einen weiterdrehen kann. Trotz des Beweises einer hundertprozentigen Sterblichkeitsrate! Richtig?«

Er nickt skeptisch.

»Heute, General, wird sich das ändern. Heute wird – vielleicht – die ganze Geschichte des Lebens auf unserem Planeten für immer vorbei sein. Finis, kaputt. Und das Universum wird mit uns sterben.«

»Eh?«

»Haben unsere Astronomen nicht vor langem entschieden, daß wir die einzige intelligente Spezies im gesamten Kosmos sind und auf der einzigen bewohnbaren Welt leben? Was für ein unglaublicher statistischer Zufall wir demnach sind!

Wenn wir also alle tot sind, wird es keine Vernunft mehr geben, die die physikalische Wirklichkeit beobachten könnte. Philosophisch gesprochen wird das Universum aufhören zu existieren. Wenn *ich* sterbe, General, stirbt der Kosmos mit mir.«

»Sterben? Sind Sie wahnsinnig, Sovrenian?«

»Ich war immer der Meinung, daß die Frage, weshalb überhaupt etwas existiert, die wirkliche Pforte zum Wahnsinn ist. Heute werden wir diese Pforte für immer schließen.«

Harker sieht aus, als träfe ihn jeden Augenblick der Schlag. Es sprudelt aus ihm heraus: »Aber es ist der Feind, der sterben wird! Wir werden dem Erdkern die letzte Wärme entziehen. Um Strom für die Enklave zu speichern. Um das Neg-Energiefeld noch mehr auszuweiten – um die Welt bis an die äußerste Grenze dem absoluten Nullpunkt anzunähern. Und um sie dort zu halten. Der Feind wird schließlich einfrieren. Sie werden sterben, wir werden den Sieg davontragen. Habe ich nicht recht? Habe ich nicht recht? Na, habe ich nicht recht?«

Ich seufze herablassend. »Wieso ist uns der Feind dann nicht zuvorgekommen?«

»Weil ihre Theorie minderwertiger ist. Ihre Technik. Schon immer war. Nicht viel, aber genug. Der Feind besitzt die neuen Umwandler nicht.«

»Ich denke, er besitzt sie.« Indem ich meine Konsole bediene, lasse ich den jüngsten Neg-Energie-Austausch des Krieges erscheinen. Ich deute auf Spitzen und Resonanzen. Harker starrt dümmlich auf meinen Bildschirm.

»Man führe eine Fourier-Analyse durch, General. Stelle die Harmonie der Wellen fest. Und simsalabim.« Er begriff nicht, aber ich schon. »Sie könnten den Kern bis zum Nullpunkt abkühlen. Sie haben es unterlassen.«

Seine Augen wurden schmal. »Bis zum Nullpunkt, das könnten sie? Aber ich dachte . . .« Vielleicht ist er letzten Endes doch nicht so dumm.

»Sie dachten, es sei physikalisch unmöglich, je den absoluten Nullpunkt zu erreichen? Wenn man einmal mit einer solchen Talfahrt begonnen hat, gibt es nur ein Ziel: den Boden.«

Den absoluten Nullpunkt, den niedrigst möglichen Wärmezustand, an dem alles endet. An dem die Moleküle aufhören, gegeneinanderzu-prallen. An dem die Atome aufhören, zu vibrieren.

»Aber . . .«

Und weil Atome mit ziemlicher Sicherheit *keine* kleinen Körner sind, die man einfrieren kann; weil Elementarteile nur in Form dynamischer Vibrationen im Gefüge des Raums selbst existieren – muß die Welt, wenn man schließlich den absoluten Nullpunkt er-reicht, aufhören zu existieren. Genau wie der Vakuumfluß des Raumes. In dieses totale Nichts wird alle andere Materie im Univer-sum, jeder andere Raum, hineinfallen.

Dann wird es kein Universum mehr geben; keine denken-den Wesen mehr, die der Zufall gebiert. Nie wieder Raum oder Zeit. Es wird Frieden herrschen. Nirwana, Nichtexistenz, Verges-sen. Keines dieser Wörter kann ganz jenes völlige Fehlen, die Abwesenheit von allem – selbst des Vakuums – ausdrücken. Wie herrlich es ist. Wie gottgleich. Welch ein logisches Ende des Kalten Krieges.

General Harker schwitzt, obwohl das Zimmer kühl ist. Er versucht herauszufinden, ob ich wahnsinnig bin. Aber natürlich bin ich das. Und er ist es auch. Deshalb hat er kein Kriterium, an Hand dessen er es feststellen könnte.

Noch eine Minute, bis sie kommt. Wie die Zeit verfliegt, nach fünfundzwanzig Jahren.

HERRIN MARGARIT:

Also betrete ich das Kriegszimmer, flankiert von meinen Wachen. Aus einer merkwürdigen Laune heraus habe ich zu Ehren des Anlasses einen Hut aufgesetzt. Mein Hut ist blau, mit weißen künstli-chen Blumen.

147

Ich halte eine kurze, aber lebhafte Rede und schaue dann Sovrenian an. Durchdringend.

»Steigern Sie die Kälte!«

Auf einmal plärrt General Harker: »Nein!«

Ich bin völlig verdutzt. Aber ich erlaube mir nicht, es zu zeigen. Ich hätte Harker heute morgen austauschen sollen; ich *bemerkte* Anzeichen von Erschöpfung an ihm. Sieh da, offenbar hat mich die Sentimentalität gepackt. Jedenfalls halte ich meinen Ärger einigermaßen im Zaum.

Harker wirkt überrascht; und sein schwächlicher Ausbruch macht sowieso keinen Unterschied mehr. Dr. Sovrenian hat bereits den Schalter umgelegt, um die Schlußsequenz einzuleiten. Wir alle beobachten schweigend die Bildschirme an den Wänden.

Allmählich vertieft sich das Blau. Es dringt in das Herz der Welt ein. Ich begreife die Theorie recht gut. Ich hatte selbst einen Hang zur Wissenschaft, bevor ich beschloß, daß meine wahre Stärke das Herrschen ist. Der leichte Temperaturunterschied müßte sich während der nächsten paar Augenblicke ausgleichen und einem unerträglichen Druck auf die Ressourcen unseres Feindes weichen.

Ah! Der rote Feuerfleck, der sie repräsentiert, flackert etwas – und das gesamte Kriegszimmer bricht in Begeisterungsrufe aus!

Jetzt stabilisiert sich die Temperatur ihrer Enklave wieder, als sie gezwungen sind, von dem, was von ihrer Zentralglut noch übrig ist, selbst ein wenig Wärme abzuziehen, damit der nötige Pegel aufrechterhalten werden kann. Selbstverständlich erhöht sich die Rate des Temperaturabfalls daraufhin. Es wird ihnen nicht gelingen, sie aufrechtzuerhalten. Die ganze Welt (mit Ausnahme der Enklaven) befindet sich jetzt nur noch ein Hundertstel über dem absoluten Nullpunkt. Hervorragend!

Plötzlich oszilliert ihr rotes Licht orange, gelb, grün; nähert sich Blau.

Ein letztes Aufflackern von Gelb. Dann endlich Blau, völliges Blau.

Sie sind dahin, erfroren. Sie sind tot.

Diesmal applaudieren die Anwesenden nicht einmal. Welch ein stilles Ende für einen Krieg.

»Heben Sie das Feld auf, Sovrenian.«

Er grinst mich an.

DR. SOVRENIAN:

»Die Schlußsequenz ist eingeleitet, Herrin«, melde ich ihr höflich.

Wir sind nur noch drei Hundertstel eines Grades vom absoluten Nullpunkt entfernt. Bewegen uns weiter darauf zu. Ich wußte, daß es möglich ist. Sobald die Welt den absoluten Nullpunkt berührt, werden wir geradewegs hinter ihnen hergesaugt.

»Sovrenian!« kreischt sie. »Wir vergeuden Energie. Dies ist kein Experiment.«

Übergangslos läuft Harker Amok. Indem er sich ein Gewehr von einer Wache schnappt, springt er zurück und zielt. Er schreit irgend etwas von wegen Kommando übernehmen. Die Wache steht dumm glotzend da, fummelt idiotisch an ihrem leeren Futteral herum. Nichts davon zählt. Das Einschreiten des Generals erfolgt viel zu spät. Aber wie unsagbar erheiternd!

Ich brülle vor Freude.

»Nullpunkt«, schreie ich, »kommt *jetzt*!«

GENERAL HARKER:

Ein übelkeitserregender Taumel – in meinem Herzen und meinem Kopf, meinem Magen und meinem Blickfeld. Die Lichter verschwinden und kehren zurück. Die Welt flackert und kommt wieder. Etwas Seltsames und Schreckliches ist geschehen. Ich fühle mich, als würde mein Innerstes nach außen gekehrt.

Oh ja, ich weiß, was das ist! Ich habe unserer Herrin den Gehorsam verweigert. Ich habe eine Blasphemie begangen. Einen Augenblick lang wurde ich in die Dunkelheit draußen geschleudert.

HERRIN MARGARIT:

Meine Wachen schützen mich treu. Aber General Harker hat das Gewehr inzwischen schon wieder sinken lassen. Übergangslos kauert er am Boden, versteckt sich wie ein kleiner Junge. Und jetzt hat er sich in eine Fötalhaltung gekrümmt! Er schaukelt und murmelt vor sich hin.

Ich schiebe meine Wachen beiseite. »Sovrenian: was ist geschehen?«

»Wir . . . wir scheinen die Welt in die Neg-Wärme verschoben zu haben, Herrin.« Der Mann sieht zutiefst entsetzt aus. Also ist sogar er nur ein schwaches Blatt im Wind. Ich bin enttäuscht von ihm. Dies ist noch schlimmer als sein schlechtes Benehmen ein paar Augenblicke zuvor.

»Neg-Wärme? Was soll das heißen?«

»Der Temperatursturz . . . ging über den absoluten Nullpunkt hinaus. Die Welt hätte verschwinden müssen . . . Sie ist es nicht. Das ist unglaublich: negative Temperatur! Es gibt eine Temperaturskala unter dem absoluten Nullpunkt – die andersherum verläuft! Wir bewegen uns in der Minuszone. Minus absolut.«

»Aber was *bedeutet* das?«

»Ich weiß es nicht, Herrin. Ich habe keine Ahnung.«

Eine der Wachen hat meinen Hut verschoben, als sie sich beeilte, mich zu beschützen. Ich rücke ihn wieder zurecht. Wenn man in Panik verfällt, ist damit nichts gewonnen.

DR. SOVRENIAN:

Nun, da ich Zeit hatte, die Daten zu überprüfen, erscheint es mir klar, daß die Welt nicht wirklich durch den absoluten Nullpunkt *hindurch*-gegangen ist. Vielmehr ist in dem Augenblick, als alles flackerte, die gesamte Welt über den Nullpunkt hinausgesprungen – und auf der Skala der absoluten Negativtemperatur gelandet: der Minus-Kelvin-Skala.

Zweifellos ist es genauso unmöglich, den absoluten Nullpunkt zu erreichen, wie für einen beliebigen festen Gegenstand die Lichtgeschwindigkeit. (Denn wenn es einem Gegenstand gelänge, würde er eine unendliche Masse annehmen.) Aber wir pflegten zu theoretisieren, daß ein Raumschiff wahrscheinlich über diese Grenze ›hinausspringen‹ könnte – und sofort in eine Masse superlichtschneller Teilchen verwandelt würde.

Etwas ähnliches ist geschehen. Die ganze Welt hat einen Phasensprung gemacht. Mit den normalen Phasensprüngen sind wir vertraut: vom Plasma zum Gas, vom Gas zur Flüssigkeit, von der Flüssigkeit zum Feststoff. Beim absoluten Nullpunkt gibt es einen weiteren Sprung, der uns bisher unbekannt war: ein Sprung vom Feststoff zum . . . wie soll ich es am besten nennen? Negative Existenz? Das Immaterielle? Einen Geisterzustand?

Und die Phasenverschiebung der Welt riß unsere Enklave mit sich. Von der Zimmertemperatur auf der Plus-Kelvin-Skala waren wir plötzlich zur entsprechenden Temperatur auf der Minus-Kelvin-Skala übergewechselt. Und die Welt draußen holte uns rasch ein, ›erwärmte‹ sich rapide auf der negativen Skala . . .

Wir sind Gespenster. Wir können uns immer noch bewegen, können immer noch miteinander reden. Aber die meisten anderen Körperfunktionen haben ausgesetzt; wir haben es nicht mehr nötig zu essen, zu trinken, zu atmen, zu schlafen oder uns zu entleeren. Ich glaube, wir sind unsterblich geworden. (Natürlich haben wir versucht, einander und uns selbst zu töten. Vergebens.)

Es gibt keinen Hinweis auf ein Universum außerhalb der Welt. Die Welt ist jetzt ein Loch in der Existenz; aber es ist ein Loch, das andauert und wächst.

Und im Innern dieses Loches – auch innerhalb unserer Enklave – steigt die Temperatur auf der Negativskala immer mehr und mehr an.

Sprechen wir nicht von Minusgraden Kelvin. Sprechen wir eher von kaltem Feuer; von Feuer, das extrem kalt brennt, sich aber nicht verzehrt.

Sprechen wir von Schmerzgraden; sprechen wir von der Temperatur gefrorener Agonie. Denn nichts kann unser Gespensterfleisch zerstören; es wird nur inwendig von Schmerz erfüllt. Und mit jeder Stunde wird das kalte Feuer stärker.

Ich habe mich zu fragen begonnen, ob es eine obere Grenze der Temperatur gibt. Wieso hat bisher noch niemand daran gedacht? Das Konzept der Absoluten Hitze!

Schließlich kann Absolute Hitze nur die Temperatur des ursprünglichen kosmischen Feuerballs im Augenblick der Geburt des Universums sein! Und wir wissen aufgrund von Berechnungen, wie hoch die Temperatur unmittelbar darauf war: 10^{32} Grad Kelvin.

Soll ich das buchstabieren? Können Sie sich hunderttausend Milliarden Milliarden Milliarden Grad – des Schmerzes – vorstellen?

Bei der gegenwärtigen Steigerungsrate brauchen wir nur etwa zehntausend Jahre zu warten.

Bis was geschieht? Bis wir die Absolute Hitze auf der Negativskala überreichen? Und ein erneuter Phasensprung stattfindet? Bis die Welt auf einmal zu einem weißen Loch wird, das sein Licht bis an die Grenzen des Universums schickt? Werden wir dann endlich sterben? Ich hoffe, wir können dann sterben.

Wenn doch nur der Feind nicht aufgegeben hätte! (Ahnten ihre Wissenschaftler die Wahrheit?) Sie hätten ebenso intensiv leiden sollen wie wir.

HERRIN MARGARIT:

»Seien wir vernünftig, meine Herren! Wenn es hart auf hart geht, brauchen wir eine feste und Vertrauen erweckende Führung. Ich versichere Ihnen, daß *ich* den Kurs halten kann, ohne mit der Wimper zu zucken.«

»Herrin! Herrin!« jubelten mir alle zu.

Schließlich habe ich den Kalten Krieg gewonnen. Jetzt muß ich den Heißen Krieg gewinnen, und wenn er zehntausend Jahre dauert.

Welch ein herrliches Wort Beharrlichkeit ist.

Die längste Strecke, die je von einem Menschen geschwommen wurde, betrug 1826 Meilen den Mississippi hinunter. Das war im Jahr 1930. Dabei hatte der fragliche Schwimmer – Mr. Fred P. Newton aus Clinton, Oklahoma – gar keinen Geschwindigkeitsrekord aufstellen wollen. Der siebenundzwanzigjährige Fred verbrachte insgesamt 742 Stunden im Wasser, verteilt über den größten Teil von sechs Monaten. Seine Durchschnittsgeschwindigkeit lag knapp unter 2½ Meilen pro Stunde.

Das längste ununterbrochene Schwimmen fand jedoch 1981 statt. In jenem Jahr schwamm der vierzigjährige Ricardo Hoffmann 299 Meilen non-stop den Parana-Fluß in Argentinien hinunter. (Es gibt keine Pirañas im Parana.) Ricardo war 8½ Stunden lang im Wasser. Er erreichte eine Durchschnittsgeschwindigkeit von 3½ Meilen pro Stunde.

Doch sowohl Fred als auch Ricardo waren Flüsse hinuntergeschwommen. Ozeane sind offensichtlich ein anderes Kaliber.

Der Ozeanrekord wird von Walter Poenisch, Senior der Vereinigten Staaten, gehalten. 1978 schwamm er 129 Meilen von Kuba nach Florida in glatten 34½ Stunden. Der sechsundvierzigjährige Walter trug Schwimmflossen und schwamm in einem Haikäfig.

Erinnern wir uns an einen anderen Rekord: den im Dauerschwimmen. Der Frauenrekord wird von Myrtle Huddleston gehalten. 1931 erreichte sie in einem Salzwasserbecken auf Coney Island die Zeit von 87½ Stunden. Der Männertitel gebührt dem beinlosen Charles ›Zimmy‹ Zibbelman, der 1941, dem Jahr von Pearl Harbor, 168 Stunden in einem Becken in Honolulu zubrachte.

Dies als eine Art Prolog zur größten Wassersportleistung, die je versucht wurde: dem gesponserten Wettschwimmen durch den Atlantik 1990.

Als stellvertretender Koordinator dieses ehrgeizigen und heldenhaften Projekts möchte ich sowohl das Konzept des Rennens als auch die Art, wie es ausgetragen wurde, aufs schärfste verteidigen. Ich wende mich stolz an das olympische Pantheon der Zeiten, das den Lorbeer des Ruhms jenen verleiht, die übermenschliche Taten vollbringen, was auch immer sie das kosten mag. Des weiteren wende ich mich an jenen imaginären Gerichtshof der Geschichte, dessen Jury seit langem tot ist – dahingerafft von Hunger, Unheil, Krankheit, Krieg und Niedertracht. Denn wie wir alle wissen, diente das Atlantik-Wettschwimmen dem Zweck, die Fonds für die Opfer der fortdauernden Dürre in den unglücklichen Ländern am Rand der Sahara aufzustocken.

Die Strecke: Sie verläuft von einer Stelle mit dem bezeichnenden Namen Cape Race in Neufundland in jeden Teil Europas.

Der kalte Labradorstrom müßte die Wettkämpfer rasch südwärts zum Golfstrom tragen. Der Golfstrom müßte die Schwimmer angenehm warm in die ungefähre Richtung von Irland lenken.

Die Entfernung: etwa 2450 Meilen.

Legt man eine Durchschnittsgeschwindigkeit von 2 Meilen pro Stunde bei 14 Stunden täglich zugrunde, müßten die Schwimmer die Strecke binnen dreier Monate hinter sich bringen können. Abgesehen von den ersten ein oder zwei Wochen, in denen wärmeisolierende Gummianzüge getragen werden müßten, dürfte die Temperatur kein großes Problem darstellen.

Natürlich gab es andere Probleme, die ein volles Jahr der Vorbesprechungen erforderlich machten, um die Bedingungen einwandfrei zu klären.

Mußten die Wettkampfteilnehmer die ganze Zeit über im Wasser zubringen? Mußten sie im Wasser essen? Sich im Wasser entleeren? Falls ja, wie? Durch Schwimmen im nackten Zustand? Mußten sie im Wasser schlafen, indem sie Schwimmwesten oder Gummienten benutzten?

An diesem Punkt kam zum erstenmal der ›Spleenfaktor‹ ins Spiel: eine Redewendung, die gewisse scharfzüngige Journalisten geprägt hatten.

Ein Körper, der lange Zeit unter Wasser zubringt, nimmt allmählich eine aufgedunsene und lepröse Form an; die Haut erkrankt. Man füge dieser Folgeerscheinung des neunzigtägigen Untergetauchtseins den ›Null-Grav-Effekt‹ hinzu – und wenn die geschwollenen Schwimmer ihr Ziel erreichten, könnten sie nur noch wie aufgeblähte Würmer an Land kriechen, kein sehr angenehmes Schauspiel.

Offensichtlich mußte jeder der Wettkampfteilnehmer an Bord eines Hilfsschiffes schlafen; und da sich die Schwimmer womöglich über etliche Seemeilen verteilten, würde jeder ein separates Hilfsschiff mit einem unparteiischen Prüfer an Bord benötigen, der sicherstellte, daß jedes Schiff seinen Standpunkt über Nacht exakt beibehielt – etwas, das mit Satellitennavigationssystemen einfach zu kontrollieren war.

Dann blieb noch die ärgerliche Frage, ob man Schwimmflossen benutzen durfte. Walter Poenisch senior hatte Schwimmflossen benutzt. Wieso sollten nicht alle Wettkampfteilnehmer Schwimmflossen von identischer Form und Größe benutzen dürfen? Tatsächlich mochten Schwimmflossen die einzige Möglichkeit sein, das Rennen in den Grenzen der drei Monate zu halten. Die Schwimmer könnten in Stürme geraten. Eisberge könnten auf sie zusteuern und Umwege erforderlich machen. Wenn sich das Rennen länger als drei Monate hinzog, würde der Herbst dem Winter zu weichen beginnen und der Atlantik zur Todesfalle werden.

Andererseits, was wäre, wenn ein weiterer beinloser ›Zimmy‹ Zibbelman am Rennen teilnähme?

Und wie war das mit dem Einsatz von Schnorcheln? Bei einer so langen Zeitspanne des ständigen Anbrandens von Wellen mochte es zu Gewebe- oder Gehirnschäden kommen. Warum sollte man nicht die ganze Strecke mit dem Kopf unter Wasser wie ein Fisch schwimmend zurücklegen?

Ah! das würde ein Defizit an Sinneswahrnehmung hervorrufen (was ohnehin zum Problem werden könnte). Halluzinationen und Wahnsinn könnten das Ergebnis sein. Die Schwimmer könnten zu guter Letzt glauben, sie seien Dorsche und Schellfische.

1989 wurde in Freetown, Liberia, eine große Konferenz abgehalten; ein Schauplatz der dritten Welt wurde ausgewählt, um den philanthropischen Zweck des Rennens zu unterstreichen. Die Konferenz währte einen Monat, und alle interessierten Parteien nahmen daran teil: das Olympische Komitee, Schwimmorganisationen, Delegierte von Sportministerien aus zahllosen Ländern und Abgesandte multinationaler Sponsoren wie Hoffmann-LaRoche, Union Carbide, Nestle und Philip Morris.

Nach und nach wurden die abschließenden Details festgelegt:

Ein Maximum von einhundert Teilnehmern. Ein Hilfsschiff für jeden, mit Fernseheinrichtungen, um die Aquanauten interviewen zu können, sobald sie aus dem Wasser kamen. Sonarüberwachung für den Fall streunender Haie. Regeln für die Begegnung mit Eisbergen und Quallen. Kommerzielles sowie Marineschiffahrtsaufkommen, um alle Teilnehmer sauber zu geleiten. Ein Supertanker mit Hilfs- und Krankenhauseinrichtung mußte geheuert werden, dessen großes Deck als Start- und Landeplatz für eine Flotte von zehn Hubschraubern, die für Luftaufnahmen ausgerüstet waren, benutzt werden konnte. Und vieles andere mehr – nicht zu vergessen das internationale wechselseitige Spielsystem, um auf den täglichen Fortschritt der Teilnehmer wetten zu können.

Das Datum für den Start des Rennens: der 1. Juli 1990, genau zwölf Monate bis zum Jahrestag der Auflösung der Konferenz von Freetown. Das würde genügend Zeit für Vorbereitungen, die Auswahl der Wettkampfteilnehmer und das Training lassen . . .

Trotz ihres romantischen arthurianischen Namens ist die neufundländische Halbinsel Avalon – deren höchste Erhebung Cape Race ist – gewöhnlich ein grimmiger, windverblasener Ort.

Aber am 1. Juli 1990 hätte es wohl des Malerpinsels eines Raoul Dufy* bedurft, um dem Spektakel vor der Küste Ausdruck zu verleihen: der meilenlangen Speere aus Flößen und Pontons mit den hundert Hilfsschiffen, die daran vertäut waren, von denen jedes eine flatternde Fahne trug, auf der das Zeichen des jeweiligen Wasserchampions prangte; der Meile aus Zelten und Markisen, die farbenfroh wie ein mittelalterliches Turnier wirkten; des Libellenschwarms aus Hubschraubern, der über ihnen schwirrte; des strahlend roten und gelben lenkbaren Ballons mit der Startkanone, die über das Vorderteil der Gondel hinausragte.

Im Stil eines Sportkommentators möchte ich Ihnen jetzt jene Schwimmer vorstellen, die sich in der folgenden Woche als die prominentesten erweisen sollten . . .

Doch halt. Warten Sie.

In Neufundland wurde die Einzigartigkeit – das individuelle oder nationale Genie – dieser besonderen Männer und Frauen von ihren Schwimmanzügen verdeckt (die bis auf die Leuchtziffern, die man auf die Schultern gedruckt hatte, identisch waren).

---

* Raoul Dufy (1877–1953), französischer Maler und Grafiker, der mit Vorliebe beflaggte Straßen und Strandbilder, Regatten und Pferderennplätze malte. – *Der Übers.*

Lassen Sie uns also jene Kanone abfeuern. Lassen Sie uns unsere hundert Schwimmer auf den Weg schicken. Lassen Sie uns viele Tage überspringen, bis zu jenem Morgen, als das leitende Hilfsschiff den kalten Labradorstrom gegen den Golfstrom eingetauscht hatte und unsere Wasserchampions zum erstenmal im Morgengrauen auf Deck erschienen, um der Welt via Fernsehen nicht länger in schwarzen Gummi gekleidet vorgeführt zu werden, sondern in ihrer natürlichen Haut (gut eingefettet), ihren watschelnden Pinguinfüßen und ihren Badeanzügen.

Lassen Sie mich Ihnen den Dandy unter den Schwimmern vorstellen, Monsieur Jean-Pierre Bouvard mit seinem dünnen, sorgfältig gewachsten Zwirbelschnurrbart und seinem langen dreifarbigen *maillot*, wie es um 1980 herum in Deauville getragen wurde.

Und den rauhen, zuvorkommenden, unerschütterlichen Ehrenwerten Captain Jim Turville-Hamilton, Gentlemanathlet und Offizier in Britanniens Special Air Services, dessen Nadelstreifenkoffer mit den Stickereien taumelnder Regenschirme geschmückt war.

Und den ›Zen-Schwimmer‹, Toshiro Tanaka, der mit einem Kamikazestirnband tätowiert war und sich seine Ohren hatte amputieren lassen, um die Stromlinienform seines Körpers zu unterstützen.

Und den ›marxistisch-leninistischen Schwimmer‹ aus dem kleinen Albanien, Genosse Zug, der Mikrofilmausgaben der ausgewählten Werke Stalins und *Die gesammelten Reden von Enver Hoxha* auf seiner Braue gestapelt mit sich trug. Durch einen Dolmetscher ließ Genosse Zug erklären, daß er sich für immer im Krieg mit der revisionistischen UdSSR-Schwimmerin, der reizenden Anastasia Dimitrowa, und dem neokapitalistischen chinesischen Schwimmer-As Qi Bing-bo befinde.

Dann war da noch der ›Jesus-geht-übers-Wasser-Schwimmer‹, der atemberaubend schöne weibliche Fünfkampfchampion Sally-Ann Johnson, einstmals Mittelstürmerin und bekennende Jungfrau, in deren Zellen eine Mikrofilmbibel gespeichert war. Gesponsert von der Christlichen Mehrheitskirche schwamm sie für den Ruhm des Herrn.

Und wie könnte man Leila Fouad von den Fundamentalistisch-Islamischen Jamhuriya zu erwähnen vergessen, deren Körperfett als Ersatz für Chadoor und Yashmak pechschwarz eingefärbt war? Jeder Wechsel zwischen dem verhüllten Atlantik und ihrem Zelt an Bord des Hilfsschiffes mußte hinter sieben Schleiern verborgen geschehen. Fünfmal täglich plärrte der Ruf zum Gebet aus dem Lautsprecher am Mastkorb, und Leila trieb für eine Minute reglos dahin und tauchte ihren Kopf in Richtung Mekka unter.

Alles in allem erreichten insgesamt neunundsechzig Schwimmer den Golfstrom, aber es sind diese acht Champions, auf die wir uns konzentrieren wollen. Fouad, Johnson, Qi, Dimitrowa, Zug, Tanaka, Turville-Hamilton und Bouvard. (Ach ja, und vielleicht sollten wir aus gewissen Gründen auch noch den Namen von René Armand aus Genf hinzufügen.)

Lassen Sie uns jetzt um sechs Wochen vorausgreifen. Unsere Champions liegen gut in Führung. Fünfzig weitere Schwimmer verteilen sich hinter ihnen über etliche Kilometer atlantischen Wassers.

Inzwischen sind etwas mehr als vierzig weitere Teilnehmer ausgefallen, Opfer der Erschöpfung, der Halluzination, der Anomie, der Verzweiflung und in einem Fall sogar des Wahnsinns. Es hat drei Todesfälle gegeben: durch Ertrinken, durch Herzschlag und überraschenderweise durch Hypothermie. Ein weiterer Schwimmer ist aus unerklärlichen Gründen verschwunden.

Die meisten der übriggebliebenen Wettkampfteilnehmer sind auf Kurs, wenn auch nicht alle. Ein Neuseeländer ist nach Süden in den unteren Golfstrom abgetrieben worden. Eventuell wird ihn der Nordäquatorialstrom auf einem Umweg wieder in die Karibik zurückbringen, falls er durchhält. Ein Däne ist nicht tief genug in den Golfstrom hineingeschwommen; sein nördlicher Zweig trägt ihn jetzt unwiderbringlich Grönland entgegen.

Auszüge aus Interviews:

LEILA FOUAD: »Ich trage Wasser durch die Wüste. Nein, das stimmt nicht. Ich trage Wasser *in* die Wüste. In die riesige Sahara, wo die Menschen an Dürre sterben. Jede Meile, die ich schwimme, ist eine weitere Meile Wasser für schmachtende Kehlen. Ich bin ein Beduine: Ich errichte mein Zelt jede Nacht auf einer anderen Düne, doch die Sterne bleiben dieselben!«

QI: »Mao durchschwamm den Gelben Fluß. Ein Berg kann von tausend Händen versetzt werden. Der Ozean weicht einer Million Stößen.«

DIMITROWA: »Hoffnung, Energie, Ruhm der Zukunft, Hände, die sich einander über das Wasser entgegenstrecken. Wäre ich eine Ballerina, würde ich auf den Wellenbergen tanzen. Sie sind so weit wie die Steppen. Ich bin eine Troika, die der Freude entgegeneilt.«

JOHNSON: »Preiset den Herrn für meine Muskeln, preiset McDonalds für das göttliche Protein. Wäre ich nicht eine Jungfrau, würde ich mich fühlen wie Samson mit abgeschnittenem Haar. Ich sage Euch allen, jede Welle ist ein neuer Streifen auf dem Banner der Freiheit. Jeder Schlag meines Herzens ist ein Gebet.«

TURVILLE-HAMILTON: »Ich möchte zwar nicht mein eigenes Loblied singen, aber ich komme mir sehr wie Captain Scott oder Sir Edmund Hillary vor.«

BOUVARD: »La question natatoire est, au fond, une question phénoménologique où l'on s'adresse à notre univers fluide contemporain.«

TANAKA: »Ein Funke: ich. Eine Woge: es.

Gemeinsam: Existenz.

Tod oder Ruhm.«

ZUG: »Tod den schwimmenden Hunden!«

Die Zahl der Todesfälle aufgrund der Dürre in der Sahara wurde für das vergangene Jahrzehnt auf zwischen fünfzehn und dreißig Millionen Menschen geschätzt. Seit das Rennen erstmals erwähnt wurde, bis zu jenem Augenblick im Golfstrom, waren vielleicht weitere dreihunderttausend Seelen gestorben: davon 10 Prozent, könnte man sagen, an den Folgen der Dürre.

Aber das war noch nicht die größte Zahl, mit der die Medien zur Zeit operierten. Die Wettlust auf den Fortschritt unserer Champions hatte fieberhafte Ausmaße angenommen. Die damit verbundenen Gesamtbeträge waren gewaltig; und natürlich schrieb man fünf Prozent allen Geldes, das auf die Schwimmer gewettet wurde, dem Saharafonds gut.

Es ist wirklich nicht übertrieben zu behaupten, daß die täglichen Wetten aufs Rennen durch die Bargeldmengen, die von Hand zu Hand gingen, der Weltbörse und dem Währungsmarkt langsam Konkurrenz zu machen begannen – und aufgrund der emotionalen, nationalistischen und ideologischen Implikationen des rapiden Fortschritts von Sally-Ann und Toshiro und Anastasia (zuzüglich des

Eingreifens der Zuschauer) das Rennen größere Schwankungen im Wert der nationalen Währungen zu verursachen begann.

So kam es, daß die wiederholten Krämpfe und Fieberanfälle seitens René Armand, der von gewissen Schweizer Bankkreisen gesponsert wurde, den Schweizer Franken selbst zu Fall brachten; und unglücklicherweise wurde der gesamte Saharafonds in Schweizer Franken gerechnet, den man einst für so unbezwinglich wie die Eiger Nordwand gehalten hatte. Die Hälfte des angesammelten Fonds schmolz dahin wie Schnee in einem sonnigen Tal. Aber wir wagten es nicht, ihn übereilt zu transferieren.

Fünfundsechzigster Tag: ein unangenehmer Zwischenfall. Genosse Zug holte Anastasia Dimitrowa ein und griff sie im Wasser an. Noch ehe ihr Hilfsschiff eingreifen konnte, bemerkte ›Gentleman Jim‹ – der nur wenig vor ihr schwamm – die Schreie und *machte ritterlich kehrt*, um seinerseits den Albanier anzugreifen.

Später sickerte durch, daß Jim Turville-Hamiltons Vater in die mißlungene britische Verschwörung nach dem Zweiten Weltkrieg verstrickt gewesen sein soll, um Zugs neuerlich kommunistisches Heimatland zu erschüttern. Albion hatte Albanien auszustechen versucht.

Sofort war die Rede von Disqualifikation: Jim verlangte die von Zug, Zug verlangte die von Jim und Anastasia schließlich die von Zug. Vergleiche mit dem angeblichen Zufallbringen des amerikanischen Rennlaufchampions Mary Dekker durch die ehemalige südafrikanische Politikstudentin Zola Budd während der Olympischen Spiele 1984 wurden angestellt, denen in ganz Amerika stürmische Kundgebungen gegen die Apartheid gefolgt waren, die vielleicht noch ernsthafter ausgefallen wären, wenn Mary Dekker eine Schwarze gewesen wäre.

Wie auch immer, trotz all der Zeit, die wir damit verbracht hatten, eine Rechnung der Unwägbarkeiten aufzumachen (und die ihren Höhepunkt in der Konferenz von Freetown erreichte), hatten wir erstaunlicherweise keinerlei Regeln über Wettkampfteilnehmer aufgestellt, die sich mitten im extraterritorialen Ozean auf ungebührliche Weise angriffen.

Zug schwamm weiter, und zwar an der Spitze.

Jim und Anastasia schwammen eine Weile Hand in Hand, sehr zur Empörung Sally-Ann Johnsons.

Monsieur Bouvard sprach von »un crime passionel politique«.
Leila Fouad trug von jetzt an eine große schwarze Taucherbrille.

Siebzigster Tag: Captain Turville-Hamilton gab im Wasser seine Verlobung mit Anastasia Dimitrowa bekannt; und das britische Pfund sackte von fünfzig auf fünfunddreißig amerikanische Cents. Die Zuschauer begannen, über die mögliche Zukunft eines *negativen Wertes* für das Pfund zu spekulieren, bei dem ein Pfund Sterling den Wert von (sagen wir) minus fünf amerikanischen Cents hätte. Großbritanniens seit langem herrschende konservative Regierung erklärte, sie sei nicht beunruhigt. Schließlich liege damit ein wirtschaftliches Instrument vor, mit dessen Hilfe man die Schulden der Nation annullieren könne. Vielleicht würde die US-Regierung sie eines Tages sogar ihrem Milliarden-Dollar-Budget-Defizit beifügen.

Dreiundsiebzigster Tag: Genosse Zug griff Leila Fouad an, die ihn überholt hatte, indem er dicht an sie heranschwamm und ihr, während sie betete, die schwarze Taucherbrille vom Gesicht riß. Ein kurzer, einseitiger nuklearer Schlagabtausch zwischen den Fundamentalistisch-Islamischen Jamhuriya und Zugs Heimatland fand statt, demzufolge Genosse Zug der einzige überlebende gebürtige Albanier wurde. Unbeirrt verkündete Zug (über einen Dolmetscher), daß, solange noch ein Mitglied der wahren Kommunistischen Partei Albaniens am Leben sei, Lenin, Stalin und Enver Hoxha in sicheren Händen seien.

Achtzigster Tag: Vielleicht aufgrund von Nebenwirkungen der Amputation seiner Ohren (war sein Richtungssinn durch Parasiten in Unordnung geraten?), begann Toshiro Tanaka im Kreis zu schwimmen.

TANAKA: »Meere, eine Sphäre aus Wasser
Im Raum; kein Land.
Geradlinig hindurch, nicht quer!«

Am nächsten Tag tauchte Tanaka wie eine geschmeidige Robbe unter; und ward nicht mehr gesehen.

Auch der Yen tauchte unter. Unglücklicherweise war der Saharafonds schließlich doch insgeheim vom Schweizer Franken in den Yen umgetauscht worden.

Nun behaupteten die Zenpriester, daß Tanaka im Japanischen Meer wieder an die Oberfläche gekommen sei. Der Yen stabilisierte sich leicht; und sank erneut.

Da jetzt alle größeren Währungen in Reaktion auf die Stöße der Schwimmer heftig schwankten, wurde, was von dem Fonds (bis dahin) noch übrig war, durch einen zunehmend exzentrischer werdenden Chefrechnungsführer in ein Paket kleinerer Währungen eingetauscht. Geld für die Dritte Welt sollte auch auf einem Bankkonto der Dritten Welt liegen, erklärte er. Deshalb sein plötzlich neu erwachtes Vertrauen in den vietnamesischen Dong, den kolumbianischen Peso (unglücklicherweise brach in Kolumbien ein Bürgerkrieg aus), die türkische Lire (augenblicklich setzte Hyperinflation ein) und dem malawischen Banda (worauf ein Militärputsch folgte).

Fünfundachtzigster Tag: Eine irische Seemöwe ließ sich kurzzeitig, wie die Taube aus der Arche Noah, auf Sally-Ann Johnsons Kopf nieder.

Neunzigster Tag: Qi Bing-bo ging in Ballyconneely Bay, Connemara, an Land und übte schwere Kritik an sich.

Genosse Zug kam eine Stunde später als zweiter an, um bald darauf unter mysteriösen Umständen in den Reihen der IRA zu verschwinden.

Als Sally-Ann Johnson die Küste erreichte, erklärte sie, daß, da Connemara offenbar kein amerikanisches Territorium sei, sie nicht die Absicht habe, auch nur einen Zeh daraufzusetzen. Schließlich tauchte ein heimliches, die Schwimmer begleitendes Atom-U-Boot der USA auf und nahm sie an Bord.

Auch Leila Fouad weigerte sich, diesen Boden zu betreten – der ungläubig sei, mit Alkohol getränkt.

Monsieur Bouvard stand auf der *plage* von County Clare, trank Champagner, rauchte eine Gauloise und zitierte Descartes. (»Ich schwimme, also bin ich.«)

Captain Turville-Hamilton trug seine sowjetische Verlobte galant über die Felsen an Land. (Siehe den Spielfilm, der in der Folge über das junge Paar, die Lieblinge der Welt, gedreht wurde, in der Hauptrolle Anastasia und ein amerikanischer Schauspieler, der Turville-Hamilton zum Verwechseln ähnlich sah und mit dem sie später durchbrannte, bevor sie krank vor Heimweh nach Rußland zurückkehrte: *Triumph des Wassers*.)

Leider wurde wenig später jedoch entdeckt, daß der erschöpfte Fonds nicht nur in exzentrischen Währungen festsaß, sondern der Chefbuchhalter auch große Summen unterschlagen hatte; und spurlos verschwunden war.

Als man den Rest unter erheblichen Schwierigkeiten aus Ho-Chi-Minh-Stadt, Bogota, Ankara und Lilongwe zurückgezogen, alle ausstehenden Rechnungen beglichen und einige der versprochenen Preise ausgezahlt hatte, sickerte durch, daß kein bißchen Geld mehr übriggeblieben war.

Das sollte uns nicht entmutigen! Das Prinzip war richtig. Wir müssen nur noch ehrgeiziger denken. Wir müssen in größeren Kategorien denken.

Wenn der Atlantik erfolgreich durchschwommen werden kann, warum dann nicht auch der sehr viel größere, aber um einiges wärmere Pazifik?

Dies möchte ich vorschlagen, damit entsprechende Hilfe geleistet werden kann, um die Menschen der Sahara zu retten: das Große Pazifikwettschwimmen!

Die Dürre in Afrika hält an. Die Sahara breitet sich jedes Jahr weiter aus. Uns steht genügend Zeit zur Verfügung, um diesen noch viel herausfordernderen internationalen Wettstreit zu organisieren. Ich kann vor meinem geistigen Auge bereits den Verlauf der Rennstrecke sehen: entweder von Baja, Kalifornien, über den Nordäquatorialstrom zu den Philippinen (nur 8700 Meilen) oder vom Punta Parinas in Peru über den Südäquatorialstrom nach Neu Guinea (etwa 9200 Meilen). Für die kürzere Strecke würde man ungefähr 310 Tage benötigen, was nicht unzweckmäßig zu sein scheint – es liegt angenehm im Rahmen eines einzigen Jahres.

Offensichtlich wird man Haikäfige benutzen müssen. Diese sollten speziell dafür angefertigt werden, damit sie groß genug sind, um jedem Schwimmer ein Gefühl für absolute Freiheit und absoluten Raum zu geben. Wie dumm, den weiten Pazifik im Inneren eines kleinen Käfigs zu durchschwimmen! Ich sehe riesige Käfige mit der doppelten Länge und Breite eines olympischen Schwimmbeckens voraus, die hundert Yards hoch sind (für den Fall riesiger Wellen) und über den Bug eines jeden Hilfsschiffes hinausragen. Die Technologie der Öltanker ist durchaus in der Lage, so etwas herzustellen und entsprechend auszurüsten.

Bei einer Zeitspanne von mehr als 300 Tagen wird sich das Feld der Wettkampfteilnehmer wahrscheinlich erheblich weiter ausdehnen als im Atlantik. Selbst die führenden Schwimmer mögen gut und gern einen halben oder einen ganzen Tag voneinander entfernt sein. Wird dies das lebhafte Interesse der Weltbevölkerung mindern? Das bezweifle ich doch sehr!

Ich habe einen Traum. Warum sollte nicht eines Tages der gesamte Äquatorgürtel der Welt von Schwimmern umrundet werden?

Heute nähern sich wie üblich Hunderte von Bussen aus dem ganzen Land diesen Feldern und schmalen Pfaden. Ein Ordner winkt unseren eigenen Bus zu einem Parkplatz an der Spitze einer langen Reihe anderer Busse weiter, die mit Friedenspostern dekoriert sind. Nach dreistündiger Anfahrt können wir endlich aussteigen und uns neben einem goldenen Kornfeld voll feuriger Mohnblumen die Beine vertreten.

Eine Invasion von Mohn! Vielleicht sind die Mohnblumen ein Ärgernis für die Farmer, aber sie sind ein hinreißendes Ärgernis.

Wie das mit Reisen so ist, verlief unsere recht kurz. Die Straße weiter hinauf sehe ich eine kleine Gruppe Afrikaner in Stammesroben. Dahinter einige buddhistische Mönche in Safranumhängen.

Aber woher in aller Welt wir Marschierer auch kommen mögen, könnte man doch sagen, daß die längste Reise uns erst noch bevorsteht – mit dem Gang zum Draht. Hinter dem der Raum einer Veränderung unterliegt. Von dem nicht jeder zurückkehrt.

»Alicia! Du hast deine Sandwiches vergessen!«

Das ist Mark, der einen regenbogenfarben gestreiften Rucksack schwingt. Mark ist Physiker, also versteht er etwas von den Geschehnissen hinter dem Draht.

»Oh . . . ich wollte gerade mal pinkeln gehen. Warte einen Augenblick, ja?«

Tatsächlich habe ich bis zu diesem Moment nicht daran gedacht, meine Blase zu entleeren; obwohl es eine vernünftige Idee ist. Hinter dem Bus liegt ein kleines Wäldchen mit zitternden Espen, die andere Marschierer für diesen Zweck benutzen.

Während ich mich zu Mark geselle, entfalten Sandra und Jack unseren Banner mit der weißen Taube, die vor himmelblauem Hintergrund fliegt, ein zerbrochenes Gewehr in der Klaue wie ein geknickter Zweig.

Den Banner voraus, marschieren wir dreißig Mann hoch an all den Bussen vorbei, die vor uns hier ankamen, den Pfad entlang. Mehrmals weichen wir bis an den Rand aus, um einen neuen Bus durchzulassen. Jenseits der Kornfelder können wir eine weitere lange Busreihe sehen, die auf einer anderen Straße parkt.

Von hier bis zum Draht sind es gut zwei Meilen, und der Pfad ist überfüllt. Bald stelle ich fest, daß ich an einem Thunfisch-Sandwich kaue. Ich erinnere mich nicht, beschlossen zu haben, daß ich hungrig bin, oder die Hand in meinen Rucksack gesteckt zu haben. Es ist fast so, als wollte ich das Sandwich aus dem Weg geräumt wissen. Nun, es ist sicher einfacher, das Essen im Bauch zu befördern als auf dem Rücken!

Die anderen singen. *Keine Atempause, Geschichte wird gemacht – es geht voran.*

Ein Ordner radelt vorbei, betätigt im Takt seine Klingel.

»Wie viele sind heute hier?« ruft Mark.

»Wir schätzen dreißigtausend.«

»Werden wir überhaupt in die *Nähe* des Drahts kommen?« erkundige ich mich.

Der Ordner lacht. »Oh ja. Ihr werdet ihn sogar berühren. Jeder wird das. Das ist doch der Sinn der Sache, oder nicht?« Er radelt weiter.

Unsere Gruppe überholt einen jungen Burschen, der einen Rollstuhl schiebt, in dem eine alte, schrumpelige, vergnügte Frau sitzt, eine dicke braune Decke über den Knien, obwohl es warm ist. Als unsere Bannerträger zusammenrücken, um vorbeizukommen, legt unsere Leinentaube die Flügel an und schießt eine Weile wie ein Habicht in die Tiefe. Wie die alte Frau lächelt und zu unserem Lied in die Hände klatscht. Und sich uns mit hoher Fistelstimme singend anschließt.

Wir werden unsererseits von einem einherschreitenden Kirchenmann in grauem Flanellanzug und purpurnem Hemd mit Hundehalsband überholt. Vielleicht ist er ein Bischof. Er trägt sein Brustkreuz verkehrt herum auf den Kopf gestellt.

»Schau mal, Mark!«

Wie viele Marschierer vor uns sind; und wie langsam wir vorwärtskommen. Aber schon jenseits des nächsten Feldes – das voller Hafer ist – kann ich Lichtbögen, Türme und einen langen Schutzwall erkennen, der in sämtlichen Regenbogenfarben schillert und gelegentlich Blitze aussendet, wenn der rasiermesserscharfe Draht das Sonnenlicht einfängt.

Ein häßlicher schwarzer Hubschrauber erhebt sich schwerfällig hinter dem Draht in die Luft. Er sieht aus wie eine fliegende

166

Badewanne mit Rotorblättern an beiden Enden; und er muß groß genug sein, um einen Panzerwagen aufnehmen zu können. Dennoch ist alles, was wir hören, der ferne Lärm von Klingeln und das Scheppern von Tambourinen und ein schrilles Pfeifkonzert, das ertönt, um ihn abzuwehren.

»Das ist ein Chinook«, sagt Mark.

Der Hubschrauber erreicht nur eine Höhe von fünfzig Fuß, bevor er sich zur Seite neigt und den Heimflug antritt – rasch immer kleiner werdend. Innerhalb weniger Sekunden ist er nur noch ein winziger Rußfleck.

Ich stelle fest, daß ich mein zweites Sandwich mit Salami und Tomate verdrücke.

Und da sind wir, unmittelbar vor dem Draht.

Mark und ich und Tausende von anderen in einer Reihe zu zweit oder zu dritt, die sich bis in weite Ferne erstreckt.

Hinter uns reift der Hafer.

Vor uns sind Tod und Zerstörung, die Maschinen und das Personal des Untergangs.

Zuerst sind da die gerollten Ballen aus gewöhnlichem Stacheldraht, schulterhoch, befestigt an Stahlpfosten. Ihnen folgt ein zwölf Fuß hoher Drahtzaun, gekrönt mit Knäueln aus rasiermesserscharfem Metall, der Handschuhe, Stiefel und Fleisch in Fetzen schneiden könnte. Schließlich gibt es noch einen Innenzaun, der genauso hoch ist. Wir sind alle versucht, den äußersten Draht wenigstens einmal zu berühren.

Jenseits des dreifachen Schutzwalls befinden sich Startbahnen, Tanklastzüge, F-111-Kampfbomber, riesige Galaxy-Frachtjets und in den Boden eingelassene Silos. Transporter mit Marschflugkörpern rollen langsam dahin. Radarschüsseln drehen sich. Militärpolizisten brausen in Jeeps umher. Hubschrauber stoßen mit der gelangweilten Grazie suchender Haie ihre Schnauzen in die Luft.

Offensichtlich ist dieses Gebiet ein amerikanischer Stützpunkt. Aber liegt er in Großbritannien oder auf Sizilien oder in der Türkei oder in Amerika selbst? Wer weiß schon, in welchem Land sich das Original befindet?

Auf den ersten Blick sieht der Stützpunkt aus, als sei er zum Bersten gefüllt mit Hardware und Personal. Doch das ist eine Art optischer Täuschung: ›ein Verdichtungseffekt‹, wie Mark es nennt. Außerdem nimmt die Größe der Gegenstände rapide ab. Ein Galaxy-Jet wirkt aus einiger Entfernung nicht größer als eine Mücke.

Hier in der wirklichen Welt diesseits des Drahtes ist eine Meile eine Meile. Drinnen gehorchen Entfernungen dem Gesetz der ›negativen Exponentialkurve‹ – was bedeutet, daß ganze Stützpunkte und Schlachtfelder sich auf einen Streifen Raum verdichten, der für uns, von hier aus, nur wenige Yards breit wäre. Ein paar Fuß. Ein paar Zentimeter. Tief im Inneren würde eine Nuklearexplosion eine Pilzwolke aufwölben, die nicht größer als ein richtiges Feld mit Pilzen wäre, die auf einer Weide im Pferdemist wachsen.

Als wir uns langsam um den Draht gruppieren, verwandelt sich der amerikanische Stützpunkt flackernd in einen sowjetischen Stützpunkt mit anderen Uniformen, anderen Flugzeugen, anderen Raketen, die gen Himmel deuten. Vielleicht befindet sich dieser neue Stützpunkt in Ostdeutschland oder in der Mongolei. Doch hier befindet er sich auch. Hier befindet sich sein Doppelgänger, sein ›Gegenstück‹, das eifrig seiner Tätigkeit nachgeht – während irgendwo anders der ursprüngliche Stützpunkt starr und wirkungslos daliegt, versponnen im Schlummer der Schlafenden Schönheit. Nichts regt sich an solchen stillen Orten der Erde, an die niemand geht. Alle tödliche Aktivität ist in das Innere des ›Ereignishorizontes‹ des Drahts übersetzt worden – in die dort befindlichen Kreise der Hölle.

»Weißt du: Amerikanische und russische und alle anderen Kriegsstützpunkte sind topologisch miteinander verbunden«, sagt Mark. »Sie teilen sich dasselbe Bindeglied im Raum.«

»Und wir sorgen dafür, daß sie innerlich fest verklebt sind, stimmt's? Es ist der Druck unserer Anwesenheit, der sie einschließt. Und die Klingel, die wir läuten. Und die Lieder, die wir singen.«

»Und noch etwas anderes, Alicia.«

»Ja. Noch etwas anderes.«

Drinnen: Stahl und Beton, Tanks und Sprengköpfe. Draußen: Hafer und Korn und Mohnblumen und Glück.

Am ersten der Teleskope hat sich eine lange Schlange gebildet.

»Warten wir?« fragt er.

»Ja, Mark. Ich möchte es sehen.«

Sandra und Jack und das Banner marschieren weiter.

Tatsächlich vergeht nur eine Viertelstunde, bis ich mein Auge ans Okular drücken kann. Ich erspähe Tiefe in der Tiefe, einen Stützpunkt im Stützpunkt, ein Lager im Lager, den Tod im Tod, soweit die Linse reicht.

»Könnten diese Soldaten je durch den Draht brechen?«

»Nicht, solange wir hier sind, Alicia. Nicht, solange *es* hier ist.«

Nicht, solange es hier ist. Unser Gottkind. Unser Teufelskind. Unser Prinz des Friedens.

Ich sage Kind. Doch was ist kindisch an unserem Prinzen – außer seinem Alter? Außer der Tatsache, daß er ursprünglich vor vier Jahren in einem Kinderwagen durch Schokoladenschlamm hierhergefahren wurde – als sich nur ein einziger, neu erbauter Kriegsstützpunkt hinter dem Draht befand.

Jetzt befinden sich hier alle Kriegsstützpunkte der Welt, sicher durch einen Zaun abgetrennt.

Seine Mutter war eine gewöhnliche Friedensdemonstrantin, Sarah Gardner. Gerade geschieden. Eine Sozialarbeiterin. Er war ein kleiner Taps, Tommy Gardner. Und er langte aus seinem Kinderwagen und ergriff den Draht.

Ein Christuskind wurde in Bethlehem geboren. Die Jahre vergingen, und die Welt wurde Zeuge der Kreuzzüge und der Heiligen Inquisition und der Folter und Verbrennung von Hexen und Häretikern und der Pogrome und Infernos und Holocausts und von Hunderten von Religionskriegen und der Herstellung von fünfzigtausend Nuklearsprengköpfen, um die Getreuen vor dem Atheismus zu bewahren.

Vielleicht *war* es ja an der Zeit gewesen, daß der Teufel als Mensch geboren wurde, um die Welt zu retten. Vielleicht konnte sich nur der Teufel genug um sie kümmern und sorgen. Vielleicht begriff nur der Teufel das Böse und den Wahnsinn und die Dummheit gut genug. Nicht Gott, sondern der Satan. Nicht Allah, sondern Iblis.

Aber nicht ohne ein Opfer. Das letztemal hatte sich das Christusknäblein selbst geopfert, um die Menschheit zu retten. Diesmal sind wir es, die wir uns als Opfer darbringen.

Bereitwillig. O so bereitwillig.

Wir breiten uns an der Außenseite des Drahtes eine weitere Meile weit aus. Zwei Meilen.

»Dort ist er!«

Oben auf einer stabilen Holzplattform, dicht über den Köpfen der Menge, sitzt unser Teufelskind, unsere Hoffnung, unser Segen. Der einmal der kleine Taps Tommy Gardner war. Der jetzt völlig verändert ist.

An dieser besonderen Stelle sind die stacheligen Ballen hoch aufgetürmt, so daß die Plattform direkt in sie hineinragt. Stufen führen zu ihr hinauf. Zehn Minuten vergehen, und wir stehen vor ihnen.

Eine von Tommys monströsen Händen fährt über die scharfen Stacheln, wie man eine Katze streichelt. Seine andere klauenbewehrte Hand ist offen und leer.

Er ist gehörnt und geschwollen und gewaltig – und so groß wie ein junger Elefant. Seine riesigen violetten Augen blinzeln unablässig den Draht an. Die Augen eines Kraken? Sein Mund ist ein einziger Schnabel aus Horn.

Es ist ein dicker fetter Buddha, gepaart mit Beelzebub. Er ist ein Tiermensch. Er ist das Häßlichste auf der Welt; und doch umgibt ihn eine grausliche Pracht. Deshalb ist das Podest ringsum auch dick mit Blumen bestreut: mit Mohnblumen, nach Moschus riechenden weißen Lilien, den Dornen blaßroter Lupinen.

Er fängt an, mit seinem unmenschlichen Kopf zu nicken. Seine leere Hand beginnt sich rhythmisch zu öffnen und wieder zu schließen.

Und ein Mönch in gelber Robe erklimmt die Stufen zur Plattform, die Handflächen zum Gebet geschlossen. Sein Schädel ist kahlrasiert, obwohl sein Gesicht noch jung ist; er kann nicht viel älter als zwanzig Jahre sein.

Der Mönch neigt seinen Kopf. Unser Tommy ergreift ihn sanft an der Hüfte. Tommys Klauenhand schließt sich vollends um den Mittelteil des jungen Mannes. Eine Weile verfällt die Menge in Schweigen, und das Schweigen breitet sich aus. Kein Gong wird geschlagen, kein Pfeifen ertönt. Dann hebt unser Teufelskind den Mönch in die Höhe. Der Schnabel öffnet sich; Tommy steckt das Opfer hinein. Schluckt; und würgt es hinunter.

Und die Menge atmet ein Seufzen aus, das wie der Wind klingt, wenn er durch den Weizen streicht. Tambourine rasseln und Klingeln ertönen – während das Licht des Regenbogens sich rot im Drahtgeflecht bricht.

»Wann nimmt er wieder jemanden zu sich?«

Mark zuckt die Achseln. »In ein oder zwei Stunden. Können auch drei sein. Das wechselt.«

»Das nächstemal, wenn er jemanden zu sich nimmt, werde *ich* es sein.«

Da: Ich habe es gesagt. Schließlich habe ich dem Gedanken erlaubt, an die Oberfläche zu kommen.

Mark starrt mich an. »Was?«

»Das nächstemal . . .«

»Aber . . . Alicia, das kann doch nicht dein Ernst sein!«

»Warum sollte ich mich ihm nicht hingeben, wenn ich es will? Und wenn er mich will? Jemand muß sich ihm bereitwillig hingeben. Denkst du, es ist ein zu schmutziger Lohn für den Frieden? Ein Leben alle paar Stunden – so daß unzählige Millionen Menschen überleben können? Und Wiesen und Wälder und Tiere und Vögel?«

»Natürlich nicht. Nein«, erwidert Mark verwirrt.

Unser Prinz des Friedens hat kaum je gesprochen. Aber am Anfang sagte er uns, weshalb er uns nacheinander zu sich nehmen muß, unser Fleisch in sein Fleisch übergehen läßt. Die Kraft seines Verstandes hält das Gefängnis des Drahtes aufrecht, doch er muß dazu die Energie unserer Seelen hineinleiten.

Und warum eigentlich nicht? In den alten Tagen opferten wir, die wir uns für den Frieden einsetzten, unsere Bequemlichkeit, unsere Freiheit, gelegentlich sogar unser Leben. Und manchmal machten wir auch für eine Weile Fortschritte. Dann riß die Triebkraft des Krieges wieder alles hinweg. Heutzutage ist unser Opfer stets das Leben selbst – als Lohn für die Person, die das Opfer darbringt. Doch dieses Opfer ist äußerst effektiv.

»Wann hat du das beschlossen?« fragt Mark.

»Jetzt. Früher. Ich bin nicht sicher.«

»Aber es gibt hier doch gewiß noch andere Leute, die begierig darauf sind . . . bereit dazu!«

»*Ich* bin die Person, die bereit ist. Ich, hier, jetzt. Vielleicht ist niemand sonst in diesem Augenblick dazu bereit. Aber ich bin es. Und weil ich es bin, wird es in einigen Stunden jemand anderer auch sein.« Ich lache sogar. »Dieser andere mußt nicht du sein, Mark. Glaube das nicht! Du machst damit weiter, die Physik dieses Etwas zu erforschen. Die Topologie des Raums innerhalb des Drahtes, okay? Vielleicht wirst du wunderbare, lebenswichtige Entdeckungen machen – für den Fall, daß unser Prinz jemals müde werden oder fortgehen sollte. Das ist dein Weg. Meiner führt diese Stufen hinauf.«

Mein Weg fällt mir leichter, mit Mark an der Seite.

»Sei glücklich«, sage ich ihm. »Fühl dich nicht traurig. Fühl dich nicht schuldig. Denk über das Bindeglied nach.«

»Ich dachte, *wir* seien verbunden. Du und ich.«

»Ja, das sind wir auch. Und wir werden immer verbunden bleiben, auf ewig danach.«

»Du wirst tot sein.«

»Besser ich Winzling, als Millionen, die in einem Feuerball vergehen.«

Dazu gibt es wirklich nichts mehr zu sagen. Jeder Einwand wäre jetzt trivial. Also stehen wir, Mark und ich, in unserem Schweigen beisammen, während ringsum Lieder gesungen und Gongs geschlagen und Klingeln zum Tönen gebracht werden.

Eine Stunde vergeht, dann fast eine weitere Stunde.

Bis unser Prinz erneut mit dem Kopf zu nicken und mit seiner leeren Hand zu greifen beginnt.

Mark bleibt zurück, als ich die Stufen hinaufsteige, auf die Unmengen Mohn und zerknautschten Lupinen.

Tommy ist mir jetzt ganz nahe. So groß, so monströs. Sein Körper riecht seltsam nach Fischöl, obwohl der vorherrschende Geruch der nach dem Moschus der Lilien ist. Ich habe Angst und doch wieder keine. Vielleicht ist es die Angst vor meiner eigenen Courage.

Er bemerkt mich. Seine violetten Augen mustern mich. Nicht gerade mit Leidenschaft, sondern eher mit einer tiefen, ruhigen, lindernden Leere. In ihm ist alle Gewalt der Welt, die er aufhebt und auslöscht.

Ich frage mich: Ist die Zeit innerhalb der Grenzen des Drahtes dieselbe wie bei uns? Ist das Bewußtsein dasselbe? Einige jener Soldaten, die in der zusammengebrochenen Geometrie der Zone gefangen sind, haben nie Soldaten sein wollen; haßten es vielleicht, Soldaten zu sein. Betrübt es sie, daß sich eine unvergleichliche Hölle um sie geschlossen hat? Oder gehen sie einfach in einer Art Trance ihren militärischen Geschäften nach, wiederholen Tag für Tag die gleichen Aktivitäten, nicht ahnend, daß sich alles verändert hat? Ich weiß es nicht. Vielleicht werde ich es bald wissen.

Tommys freie Hand bewegt sich auf mich zu. Sein Griff ist so leicht und doch so unerbittlich. Er hebt mich hoch, den Kopf voran an seinen geöffneten Schnabel. Ich sehe eine rote Höhle, einen dunklen pulsierenden Tunnel, der sich in die Tiefe erstreckt.

Und ich sterbe nicht.

In mir erwacht Klarheit. Regenbogenfarben durchspülen meine Sinne. Ich schmecke Gold und Silber und Stahl. Ich bin erweitert. Ich bin der Draht; der Draht bin ich.

Ich spüre die Anwesenheit meines Prinzen, so wie eine Welle den ganzen Ozean spürt. Ich spüre die Tausende von Seelen, die der meinen vorangehen – die des jungen Mönches und all der anderen –, wie ein Fisch die anderen Fische spürt, die in einem riesigen Schwarm schwimmen. Oder wie ein Vogel den Rest seiner Schar spürt. Sowohl Vogel als auch Fisch sind nur ein kleiner individueller Verstand. Und doch ist zugleich jeder das Ganze. Wie sonst könnte ein Schwarm plötzlich geschlossen in dieselbe Richtung huschen? Wie sonst könnte eine ganze Schar herabstoßen und wieder aufsteigen?

Gemeinsam sind wir der Stromkreis des Drahtes. Ich bin ein Teil davon und doch alles.

Ich bin im Frieden; aber es ist ein Frieden, der wie ein schlagendes Herz pulsiert, ein Frieden wie die Brise auf einem Berggipfel, ein Frieden wie die rollende, wogende See.

Der Krieg ist in mir verdichtet wie ein Tumor, den man eingefroren hat, wie ein gelähmter Krebs. Oder wie die Perle in einer Auster.

Tommy läßt uns die Zukunft sehen, widergespiegelt in dieser Perle. Oder vielleicht ist die Zukunft, zeitlos wie sie ist, bereits eingetreten – so daß wir Ereignisse spüren, die außerhalb des Drahtes längst geschehen sind oder gerade in diesem Moment geschehen.

Innerhalb von fünfzig Jahren haben sich die ersten außerirdischen Lebewesen zu uns in den Draht gesellt. Sie sind zur Erde gekommen, oder die Menschen haben die Sterne erreicht. Ich bin nicht sicher, was davon. Vielleicht fand Mark einen Weg, den Erdenraum mit dem Sternenraum zu verbinden. Zuerst kamen diese Außerirdischen aus Neugier; dann allmählich als Pilger. Ich glaube, Tommy hat mittlerweile die Ausmaße eines Blauwals angenommen. Doch seine Hände greifen immer noch aus, eine, um auf dem Draht zu klimpern, die andere, um die Besucher entgegenzunehmen, die sich ihm darbieten.

Und unsere Schar, unser Schwarm wächst immer weiter.

Und der Draht funkelt hell.

Von meinem Bunker aus, verborgen unter einem bruchsicheren Betonsockel, kann ich spüren, wie die Schwalben draußen vorbeiziehen. Über meinem Flugplatz balgen sie sich heftig im Wind. Ihre Schnäbel klicken wie winzige Kastagnetten, wenn sie einen Schwarm Mücken verschlingen, um ein letztes Gramm Fett auf die Leiber zu bekommen, bevor sie zu ihrer großen Reise aufbrechen. Die Schwalben sind trunken von süßer Panik. Sie sind eine Schar Feenkinder, die ausgelassen um einen Maibaum herumtanzen, der sich dem Himmel entgegenstreckt; in diesem Moment sind sie eifrig damit beschäftigt, die Papierbahn vom Maibaum des Jahres zu lösen.

Mein Geist greift zu ihnen hinaus. »Die Nebel kommen! Wir riechen die Nebel!« schreien sie.

»Wie dick die Beeren an den Büschen sind!«

»Der Wind bläst heute von Süden. Er ruft uns!«

»Hört ihr die Dünen der Wüste brausen? Hört ihr das Geschrei der Affen?«

»Hört ihr das Husten des Kamels und das Brüllen des Löwen?«

»Wir werden zu spät kommen!«

Ich verstand sie genau. Mein eigenes Gehirn ist ihren Gehirnen sehr ähnlich. Im Einvernehmen mit den Schwalben kenne ich bereits im voraus jede Steigung und jedes Gefälle, jeden Fluß und jedes Tal auf meiner vorherbestimmten Route. Ihre Instinkte sind auch meine Instinkte; aber meine werden in Schach gehalten. Wie ich sie um ihre Freiheit des Ziehens beneide, selbst wenn es für sie den Tod bedeutet.

Bin ich der einzige meines Schwarms, der den Schwalben lauscht? Bin ich der einzige, der Erregung, Frustration und Eifersucht empfindet? Vielleicht. In unserem mächtigen mobilen Metallnest sitzen meine drei Gefährten (in Ermangelung eines besseren Wortes) still und in sich gekehrt. Keine Gefühle gehen von ihnen aus. Alle Gedanken, die sie denken, sind verdeckt und geheim.

Aber nicht die Gedanken der Schwalben. Sich hinaufschraubend wie Steine, die an Seilen im Kreis geschwungen werden, beschreiben sie Achterfiguren.

»*Tsieß! Süß, süß!*« schreit eine von ihnen. Dies ist das Signal, aufzubrechen und nach Süden zu fliegen, für immer nach Süden, bis sie in der süßen Hitze Südafrikas ankommen.

Ich beschließe, diese Schwalbe Amy zu nennen. Ich folge ihr mit meinem Geist. Amy, bezaubernde Amy, flieg ohnegleichen.

Sie fächert den Schwanz. Sie dreht sich im vollen Flug, um in eine andere Richtung zu brausen, in einem anderen Bereich des Himmels heftig mit den Flügeln zu schlagen. Sie erhascht eine winzige Spinne, die auf einem Seidenfaden dahintreibt.

In ihrer Brust spürt sie eine seltsame Art Schmerz. Es ist ein lieblicher Schmerz, der hinreißend an ihr zieht; er wird sie fortwährend weiterziehen.

»Ich kann es nicht ertragen, noch einen Tag länger zu bleiben!« erzählt sie ihrem Männchen Nijinsky. (So nenne ich ihn wegen seiner Wendigkeit.) Amys Stimme gleicht dem Plätschern eines Gebirgsbaches, dem murmelnden Rauschen von Wasser auf Kieseln.

Sie und zwanzig weitere stoßen zu der Linie aus Telefondrähten in der Umgebung des Landeplatzes nieder. Dort schwatzen sie über ihre vorausbestimmte Route: die Gebirgspässe der Pyrenäen, die staubbedeckten Ebenen Neukastiliens, die Affen, die vom Felsen von Gibraltar zu ihnen hinaufkreischen. Als nächstes die Forts und Oasen der Wüste. Anschließend die trockene Sahara mit dieser überwältigenden ofenheißen Hitzereflexion des Sandes, der viele Schwalben im Flug zum Opfer fallen werden. Viele werden wie Steine vom Himmel fallen.

Natürlich sind Amy und Nijinsky um die jüngste aus ihrer Brut besorgt, die ich Pawlowa nenne.

»Die Wüste wird dieses Jahr größer sein«, zwitschert Amy. »Letztes Jahr war sie schon größer als im Jahr zuvor. Aber wir können nicht bleiben. Bald wird die Kälte hierherkommen. Und wenn sie kommt, wird sie alle Insekten töten.«

»Aber ist Pawlowa denn schon flügge?«

»Flügge oder nicht, wir müssen alle gehen.«

»Oh, es ist mir ein Rätsel, Amy, daß wir nie auf andere Weise handeln können! Was wir tun müssen, müssen wir tun. Trifft das für jedes Lebewesen zu?«

»Aber zu tun, was man tun *muß*, macht doch das Leben aus!« ruft Amy erstaunt. »Das ist die vollendete Freude der Existenz.« Sie putzt sich rasch unter dem Gefieder. »Wenn die Welt aufhören würde, sich zu drehen, dann könnte wohl eine Schwalbe zu fliegen aufhören! Aber nur dann. Keine Bange: Wir werden alle sicher dort ankommen. Es wird die wundervollste Schar sein, die jemals geflogen ist. Das spüre ich in meinem Herzen.«

Schwalben saßen auf den Drähten nebeneinander aufgereiht, so ordentlich wie Soldaten bei einer Parade. Alle trugen sie die gleichen dunklen stahlblauen Uniformen mit den ausladenden Rockschößen, die gleichen rostroten Mützen und Kinnriemen, die gleichen schneeweißen Brustharnische.

»Ich sterbe vor Neugier auf die Wüste«, plapperte die kleine Pawlowa. »Ich meine, ich kann sie schon *fast* vor meinem geistigen Auge sehen. Ich hab keine Angst. Ich flieg an einem einzigen Tag drüber weg.«

»Nein, nicht einmal an zwei Tagen«, erwiderte Nijinsky. »Dein geistiges Auge ist überholt. Jedes Jahr wird die Sahara größer.«

Einen Augenblick lang hatte ich Mitleid mit diesen Schwalben; mein geistiges Auge ist nie überholt. Aber was kümmert mich die Sahara? Afrika ist in *meinem* Geist nicht verzeichnet. *Meine* Zugrichtung weist gen Osten.

Etwas geschieht! Hier unten im Bunker klettern meine Soldaten in ihre gepanzerten Jeeps, meine Wartungsmonteure in ihre Laster. Mein Metallnest erwacht, die Motoren beginnen zu dröhnen. Die Bunkertore schieben sich über der leeren Trümmerhalde beiseite.

Und sie fahren mich hinaus, unter den freien Himmel!

Schließlich sind wir auf einer Landstraße, entfernen uns knirschend in südlicher Richtung vom Flugplatz: ich und meine drei stummen Schwestern in einem Transporter, vier weitere von uns in einem anderen, gemeinsam mit einem ganzen Konvoi von Waggons, Lastern und Jeeps.

Es war ein guter Sommer. Die Ernte ist vollständig eingebracht. Goldenes Heu liegt in großen Rollen in den Scheunen aufgehäuft. Meine Schwalben haben das Stoppelfeld abbrennen sehen, den nachtsüber geröteten und den tagsüber von Rauchschwaden verhangenen Himmel. Jetzt stelle ich fest, daß die meisten der geschwärzten Felder bereits vom Pflug gewendet worden sind.

Ich erspähe Widder auf einer Weide, die sich die grasenden Mutterschafe vornehmen, ihre wollenen Rücken mit blauem und rotem Wachs markieren. Die Widder tragen feste Geschirre, die den farbigen Wachs enthalten. Die Schafe werfen einen Blick auf unseren Konvoi und verlieren dann das Interesse.

Als ich mit meinem Geist ausgreife, spüre ich, daß Amy gerade, wie es sich gehört, ihren Schwanz gabelförmig spreizt – und in den Flug abspringt. Nach ihr springen alle anderen Schwalben. Denn der Augenblick ist gekommen. Nur Nijinsky wirft noch einen letzten Blick auf das kleine Dorf hinter meinem Flugplatz, wo er und Amy diesen Sommer in der Dachrinne eines Farmhauses genistet haben. Er wirft einen Blick zurück, doch schon scheint es ihm, als sei das Dorf unendlich weit entfernt. Und das ist es auch wirklich. Schon ist es auf der Landkarte in seinem Geist an den entferntesten Rand gerückt. Sogar weit jenseits von Afrika. Selbst wenn Nijinsky wollte, könnte er jetzt nicht mehr umkehren.

Oh, daß man doch auch mich nicht umkehren lasse!

Während sich mein Transporter auf Seitenwegen in südöstliche Richtung bewegt, folge ich Amy auf ihrem Flug. Und beginne zu hoffen.

Eine Stunde später bog unser Konvoi von der Landstraße ab und fuhr eine breite Waldung zu einer von Föhren umgebenden Lichtung hinauf.

Die Soldaten schwärmten durch das Unterholz aus. Mein Abschuß-offizier kippte mich im Stahlnest hoch, richtete mich nach Osten aus. Und wir warteten. Und warteten. Einige in der Nähe stehende Soldaten schritten vorüber, nervös wie die Schwalben selbst. Sie schwitzten. Gelegentlich scherzten sie. Oder urinierten.

Amy, Nijinsky und Pawlowa reihten sich in eine versprengte Linie weiterer Wanderer auf der Himmelstraße ein. Oh ja, es gibt Straßen am Himmel. Recht schmale Straßen: Es sind die Karawanenstraßen des Firmaments. Solche Straßen steigen oder fallen je nach Laune des Windes. Meine Schwalbenschar fliegt jetzt sehr hoch, um einen genau ostwärts gerichteten Seitenwind aufzunehmen.

Sie fliegen schnurgerade, ohne stark abzuschweifen oder umzu-schwenken, nach oben oder unten auszuweichen. Statt wie zuvor

Insekten zu jagen, lassen sie die Insekten jetzt zu ihnen kommen. Indem sie die winzigen Konturfedern an den Seiten ihrer Münder sträuben, füllen sie ihren Brennstoff in einen schöpfenden Schnabel.

Klick: eine Fliege.

Klick: eine kleine Motte, die eine Laune des Windes nach oben getragen hatte.

Klick: ein geflügelter Käfer.

Steigend und sinkend überholen sie Mauersegler und Baumschwalben. Emporstrebend befiedern sie die Klingen ihrer Flügel, um den Luftwiderstand zu verringern. Ich verstehe das alles sehr gut, obwohl ich nie zuvor geflogen bin. Tief unten sind die Kurven der rollenden Hügel die reinste Liebkosung.

Und plötzlich breche ich mir Bahn – mit der Kraft von einer Million Schwalben. Eine Sekunde danach beginnt meine Ausströmöffnungskontrolle, mich auf Kurs zu bringen. Fünf Sekunden später klappt mein Steuerschwanz aus. Ein paar weitere Sekunden, und meine Flügel haben sich entfaltet, um mein Gleichgewicht zu halten. Ich bin die erste, die das Nest verläßt. Nach drei Jahren des Wartens darf ich endlich ziehen! Meine Zündstufe setzt ein. Meine Düsen flammen auf. Gierig verschlinge ich Luft.

Endlich. Ich bin ein Vogel.

Geschwind eile ich über Wälder und Flußläufe, flache Felder und Heideland dahin. Ich sause an einer vereinzelten Windmühle vorbei, deren Blätter wie ein Wegweiser in meine Richtung deuten. Lange bevor Amy und Pawlowa und Nijinsky sich der Küste auch nur genähert haben, bin ich schon über dem Strand, dann über dem blauen Wogen und Wallen der See und jauchze . . .

Derweil ich dahinfliege, träumt Amy von den Schilfbetten des Lualaba-Flusses unten in Sambia. Überlebende der Sahara, gestärkt von den Insekten Nigerias und des Kongos, mögen vielleicht eine Zeitlang an den Ufern des Lualaba rasten. Sie mögen sich an das sich krümmende Schilfrohr klammern, einander zuzwitschern, während in der Dämmerung ein Elefant trompetet und die Zeckenvögel Ungeziefer aus seiner Haut picken. Amy wird auf einen raschen Tauchgang in den Fluß sausen, um sich zu putzen, ständig eines zuschnappenden Krokodils gegenwärtig.

Aber noch ist sie nicht dort. Der Wind droht umzuschlagen. Wenn ein kräftiger Rückenwind den Schwalben nachsetzt, müssen sie einen Draht oder Schilf finden, um dort sitzen zu bleiben, bis der Wind wechselt oder sich legt. Andernfalls werden sie für die Landkarte, die in ihrem Geist abläuft, zu schnell vorwärtsgetrieben. Sie würden darüber hinausfliegen und verlorengehen.

Solche Probleme kenne ich nicht! Ich fliege schneller als jeder gewöhnliche Wind. Meine geistige Landkarte ist einwandfrei. Sobald ich das Meer überquert habe, werde ich meine Landkarte in bloßen Bruchteilen einer Zeiteinheit absuchen, die zu klein ist, um Sekunde genannt zu werden.

Was Amy betrifft, so steigt sie nun höher, wo der Wind schwächer weht. Auch ich steige ein wenig, da die Wellen anschwellen.

Binnen einer halben Stunde bin ich über den Poldern der Niederlande. Fünfzehn Minuten später, und ich überquere die Grenze nach Deutschland, beginne meinen langen Flug über das deutsche Flachland. Hier rastet meine Landkarte klickend ein. Das Terrain entspricht ihr haargenau. Bauernhäuser zucken vorbei, nackte Felder, Kühe und Kirchen . . .

Im Stadtpark von Johannesburg gibt es Schilfbetten. Dort wird Amy mit weiteren Wanderern zusammentreffen, die auf dem Weg durch das Niltal vom entfernten Sibirien kommen. Denn in Joburg fließen die beiden Hauptströme der Wanderung in den südlichen Frühling zusammen. In Joburg teilen sich im südlichen Herbst diese beiden Ströme wieder, wie zwei Federn am Schwanz einer Schwalbe. Voriges Jahr trafen und saßen Amy und Nijinsky eine Weile mit Iwan Schwalbe zusammen, aus Irkutsk neben dem Baikalsee. (Natürlich phantasiere ich.)

Ich träume gemeinsam mit Amy, während ich über Deutschland dahinfliege und meine geistige Landkarte gelegentlich mit dem Territorium vergleiche. Alles ist, wie es sein sollte. Natürlich. Ich bin ein hochspezialisiertes Instrument – und warum nicht, schließlich ist Amy auch eins! Sie und ich, wir sind beide für das Fliegen geschaffen. Für ein Leben am Himmel. Nur aus Gefahr oder Bedrängnis kann sie je auf die feste Erde niedergehen. Früher in diesem Jahr hätte sie, als sie unbeholfen auf dem Boden herumtapste und die Flügel als Krücken benutzte, dabei nassen Schlamm für ihr Nest sammelnd, fast eine böse bescheckte Katze zum Frühstück verspeist.

Amy macht Fortschritte damit, sich der Küste zu nähern, aber ich bin bereits über Polen. Fliege jetzt in fünfzehn Metern Höhe. Ich weiche einem Pickel von einem Berg aus. Ein Bauer starrt entsetzt zu mir hoch. Ein Polizist springt aus seinem Wagen und entleert seine Pistole in die Luft; doch ich bin schon auf und davon.

Weit hinter mir blitzt etwas hell wie die Sonne auf. Bald werde ich von einem heftigen Wind erfaßt, der mich fast zu Boden drückt. Aber ich halte mein Gleichgewicht und die richtige Höhe.

Etwas Helles und Loderndes hat Amy geblendet! Ich verliere den Konkakt zu ihr; es ist eine Interferenz in der Luft und in meinem Geist . . .

Einen Augenblick lang empfinde ich Kummer darüber, daß Amy nicht einmal den Ärmelkanal erreichen wird – dem windigen Gavarnietal mit seinen schlagenden Adlern ausgesetzt; dem von goldenen Flammen erhellten Fels ausgesetzt, wenn der levantische Wind sich darauf beschränkt, Nebel des Sonnenuntergangs fahnengleich zu den marokkanischen Gipfeln zu wehen. Ich fliege weiter, befreie mich von solchen Gefühlen. Ich bin stärker, als sie es ist. Ich befrage wieder meine geistige Landkarte. Kreuzen, kreuzen.

Wo bist du, Amy?

Amy, bezaubernde Amy!

Ach bezaubere mich . . .

Rußland!

Wälder voller Eichen, Buchen und Föhren.

Ich bin mir bereits vage meines Zieles bewußt: ein Dorf namens Witebsk. Dort werde ich niedergehen.

Außerdem bin ich mir vage der weit entfernten Amy bewußt. Sie liegt keuchend in einer Schlammpfütze. Ihre Federn sind sämtlich verbrannt. Sie kann nicht mehr sehen. Es ist ein Wunder, daß sie noch lebt. Bald wird sie am Schock sterben.

Oh, dies ist der Flug meines Lebens! Dort ist schon der West Dwina-Fluß. Die kleine Stadt Beschenkowitschi liegt an einer scharfen Biegung, wo der Strom seine Richtung von Süden nach Norden wechselt. Nur noch sechzig Kilometer bis Witebsk. Noch fünf Minuten, eher weniger.

Und jetzt liegt Witebsk vor mir. So kommt meine geistige Landkarte zu einem Ende. Nichts existiert jenseits von ihr. Nirgends.

So bald! Aber wie Amy schon sagte: »Zu tun, was man tun *muß*, macht das Leben aus!« Eine Eintagsfliege lebt auch nur einen Tag – einige Stunden eines Tages – und geht dahin.

Noch eine Minute.

Witebsk ist die Stadt, in der der Maler Marc Chagall geboren wurde. Er stellte sich Kühe vor, die durch die Luft fliegen.

Heute werden Kühe durch die Luft fliegen, ganz gewiß.

Ian Watson, geboren 1943, Absolvent des Balliol College in Oxford, lehrte als Dozent für Englisch an den Universitäten von Daressalam und Tokio, später am Polytechnikum und an der Kunsthochschule in Birmingham, bevor er sich entschloß, freiberuflicher Schriftsteller zu werden und seinen eigenen – bildhaften – Weg innerhalb der Science-fiction zu suchen.

Ian Watson schreibt experimentelle, intelligente, polemische, manchmal schwierige »speculative fiction«, die die Möglichkeiten einer besseren Welt auszuschöpfen versucht, obwohl der Autor glaubt, daß die Welt, in der er lebt, vor dem Zusammenbruch steht. So hat er eine Reihe rezenter SF-Werke als nur elegantes, entropisches Gekritzel kritisiert, als eine Art Gefiedel, während Rom brennt.

In seinen eigenen Romanen und Erzählungen, die erregende Entdeckungsfahrten in die Weiten von Geist und Materie sind und häufig transzendente oder mystische Topoi enthalten, ist die Wirklichkeit, zumindest die Realität, mit der sich die Menschheit auseinandersetzen muß, subjektiv und partiell. Sie wird nämlich durch unser Wahrnehmungsvermögen als zu eng geschaffen. Um dieser drohenden Enge zu entfliehen, entwirft Ian Watson alternative Wirklichkeiten, denen durch unsere Perzeption keine Grenzen in Zeit und Raum gesetzt sind. Als Mittel zum Zweck greift er auf Drogen, linguistisches Wissen, konzentrierte Meditation, radikale Änderungen in den Erziehungsmethoden und gesteigerte Perzeptions- und Bewußtseinsformen zurück.

Eines der Hauptthemen in seinem Werk ist die Überlappung von Realität und Bewußtsein, wobei er der Frage nachspürt, bis zu welchem Grad das reale Universum bei unserem Vorstellungsvermögen Pate gestanden hat:

»Ich versuche dahingehend auf meine Leser einzuwirken, daß ich sie gegenüber den Steuerungsprogrammen, die ihre Gehirne am Laufen halten, bewußter mache – ich tue also das, was John Lilly als ›metaprogramming‹ bezeichnet. Es interessiert mich, Denkstrukturen zu untersuchen und den Lesern dann Geschichten vorzusetzen, die sie dazu bringen, etwas über die Muster nachzudenken, nach denen ihr Denken abläuft, und sich die Frage zu stellen, welche alternativen Denkstrukturen sie annehmen könnten. Ich bin der Meinung, daß Science-fiction davon handeln sollte. Sie sollte einem ein alternatives Realitätsmuster vorsetzen, eine andere Möglichkeit, die Realität und das Universum konzeptuell zu erfassen.«

Ian Watson erweist sich vielleicht als der eindrucksvollste Synthetiker in der modernen SF, und als intellektuelle Thriller sind seine Werke aufregend und gedanklich provozierend. Seine Schreibweise kann äußerst lebhaft ausfallen, leidet aber manchmal unter plumpen, trockenen »Annäherungsversuchen«. Trotzdem gehört er zu den wichtigsten SF-Autoren und -Kritikern, die in den siebziger Jahren in Erscheinung getreten sind und deren Werke zur »Pflichtlektüre« geworden sind.

René Oth

BIBLIOGRAPHIE

- »Japan: A Cat's Eye View« (Bunken, Osaka 1969 – für jugendliche Leser);
- »The Embedding« (Gollancz, London 1973). Deutsche Übersetzung: »Das Babel-Syndrom« (Wilhelm Heyne Verlag, München 1983);
- »The Jonah Kit« (Gollancz, London 1975). Deutsche Übersetzung: »Der programmierte Wal« (Wilhelm Heyne Verlag, München 1977);
- »Orgasmachine« (Editions Champ Libre, Paris 1976 – französische Übersetzung eines englischen Manuskripts mit dem Titel »The Woman Factory«, von dem noch keine englische Buchausgabe vorliegt);
- »Japan Tomorrow« (Bunken, Osaka 1977 – SF für jugendliche Leser);
- »The Martian Inca« (Gollancz, London 1977). Deutsche Übersetzung: »Das Mars-Koma« (Droemer Knaur Verlag, München 1980);
- »Alien Embassy« (Gollancz, London 1977). Deutsche Übersetzung: »Botschafter von den Sternen« (Wilhelm Heyne Verlag, München 1981);
- »Miracle Visitors« (Gollancz, London 1978). Deutsche Übersetzung: »Zur anderen Seite des Mondes« (Droemer Knaur Verlag, München 1981);
- »The Very Slow Time Machine« (Gollancz, London 1979 – Sammlung von 12 SF-Erzählungen);
- »God's World« (Gollancz, London 1979). Deutsche Übersetzung: »Die Himmelspyramide« (Droemer Knaur Verlag, München 1983);
- »The Garden's Delight« (Gollancz, London 1980). Deutsche Übersetzung: »Die Gärten des Meisters« (Droemer Knaur Verlag, München 1983);
- »Under Heaven's Bridge« (Gollancz, London 1981 – gemeinsam mit Michael Bishop);
- »Deathhunter« (Gollancz, London 1981). Deutsche Übersetzung: »Todesjäger« (Wilhelm Heyne Verlag, München 1985);
- »Sunstroke and Other Stories« (Gollancz, London 1982 – Sammlung von 16 Kurzgeschichten);
- »Chekhov's Journey« (Gollancz, London 1983). Deutsche Übersetzung: »Tschechows Reise« (Wilhelm Heyne Verlag, München 1986);
- »The Book of the River« (Gollancz, London 1984). Deutsche Übersetzung: »Das Buch des Flusses« (Wilhelm Heyne Verlag, München 1987 – in Planung);
- »Converts« (Granada, London 1984);
- »The Book of the Stars« (Gollancz, London 1984). Deutsche Übersetzung: »Das Buch der Sterne« (Wilhelm Heyne Verlag, München 1987 – in Planung);
- »The Book of Being« (Gollancz, London 1985). Deutsche Übersetzung: »Das Buch des Seins« (Wilhelm Heyne Verlag, München 1987 – in Planung);
- »Slow Birds & Other Stories« (Gollancz, London 1985). Deutsche Teilübersetzung: »Kreuzflug, Politische SF-Geschichten« (Luchterhand Verlag, Darmstadt 1987);
- »The Book of Ian Watson« (Ziesing, USA 1985).

RECHTENACHWEISE

- *Langsame Vögel (Slow Birds)* aus: Slow Birds and Other Stories, Victor Gollancz Ltd., London 1985. Zuerst veröffentlicht in The Magazine of Fantasy & Science Fiction 1983. © by Ian Watson.
- *Weiße Socken (White Socks)* aus: Slow Birds . . . Zuerst veröffentlicht in The Magazine of Fantasy & Science Fiction 1985. © by Ian Watson.
- *Wir denken oft an Babylon (We Remember Babylon)* aus: Evil Water and Other Stories. Zuerst veröffentlicht in Habitats, ed. by Susan Schwartz 1984. © by Ian Watson.
- *Der Präsident ist gegen eine Wende (The President is Not for Turning).* Zuerst veröffentlicht in The Book of Ian Watson, Zeising. © by Ian Watson.
- *Felltag und danach (Skin Day, And After)* aus: Evil Water . . . Zuerst veröffentlicht in The Magazine of Fantasy and Science Fiction 1985. © by Ian Watson.
- *Die Haare an ihrem Leib (The Flesh of her Hair)* aus: Slow Birds . . . Zuerst veröffentlicht in The Magazine of Fantasy and Science Fiction 1984. © by Ian Watson.
- *Herrin der Kälte (Mistress of Cold)* aus: Slow Birds . . . Zuerst veröffentlicht in Ambit 1984. © by Ian Watson.
- *Das große Atlantik-Wettschwimmen (The Great Atlantic Swimming Race)* aus: Evil Water . . . Zuerst veröffentlicht in: Isaac Asimov's Science Fiction Magazine 1986. © by Ian Watson.
- *Der Draht um den Krieg (The Wire Around the War)* aus: Evil Water . . . Zuerst veröffentlicht in Isaac Asimov's Science Fiction Magazine 1984. © by Ian Watson.
- *Kreuzflug (Cruising)* aus: Slow Birds . . . Zuerst veröffentlicht in The Magazine of Fantasy and Science Fiction 1984. © by Ian Watson.

Science-fiction & Fantasy
in der Sammlung Luchterhand

Connie Willis
Brandwache

Phantastische Geschichten
Herausgegeben und mit einem Nachwort von René Oth
Sammlung Luchterhand Band 660

Connie Willis avancierte in den letzten Jahren zu einer der populär-
sten und zugleich literarisch anspruchvollsten SF-Autorinnen. Die
acht in diesem Band versammelten Geschichten gehören zu ihren
herausragenden Werken: Meisterstücke, listig angelegt, unterhaltsam
und in wechselnden Tonarten, von spielerisch bis bösartig.

Die Titelgeschichte »Brandwache« (ausgezeichnet mit den höchsten
amerikanischen SF-Preisen, »Hugo Award« und »Nebula Award«)
führt einen Historiker auf seiner Zeitreise zurück in das von Luftan-
griffen bedrohte London des Zweiten Weltkriegs. Er beteiligt sich am
dramatischen Versuch, die St. Paul's Cathedral zu retten und weiß
doch, wie vergeblich das sein wird.
»Ein Brief der Clearys« (prämiert mit dem Nebula Award) zeichnet in
einfachen Sätzen, scharf und bitter das Porträt einer überlebenden
Familie nach dem nuklearen Holocaust.
»Der Samariter« stellt uns den ersten getauften Affen vor, und »Und
sie kommen von meilenweit her« beschäftigt sich mit den kosmischen
Eigenarten des interstellaren Tourismus.

Diese und die anderen Geschichten bestätigen den literarischen Rang
von Connie Willis.

Philip K. Dick
Eine Spur Wahnsinn

Phantastische Geschichten
Herausgegeben von Michael Nagula
Sammlung Luchterhand Band 603

Im Konflikt mit seiner feindlichen Umwelt überlebt das Indivi-
duum nur mit der phantastischen Verzerrung des genauen
Blicks: mit einer Spur Wahnsinn. Philip K. Dick gehört zu den
wenigen herausragenden SF-Autoren, denen die gedachte Welt
und ihre Geschöpfe ein Mittel sind, unseren eigenen Planeten
unter die Lupe zu nehmen. Das Außerirdische bricht überal-
terte Konventionen und steht für das Unfaßbare. Die Zeitreise
ermöglicht den Perspektivenwechsel. Dicks Helden strahlen
nicht, sondern sie sind die kleinen Leute, die sehen müssen, wie
sie in einer ziemlich verrückten Welt zurechtkommen. Diese
Geschichten von Philip K. Dick, bis auf eine erstmals im Deutschen veröffentlicht, gehören zu seinen besten Stories zwischen
1954 und 1980: voll schwarzem Humor und mit immer wieder
überraschenden Pointen.

Zeit der Frauen

Phantastische Geschichten zur Emanzipation
von Science-fiction- und Fantasy-Autorinnen
Herausgegeben und eingeleitet von René Oth
Sammlung Luchterhand Band 633

Dieser Band setzt die Sammlung von Frauen-SF-Geschichten
fort: »Als alles anders wurde. Phantastische Geschichten über
die Zukunft der Frau von Science-fiction- und Fantasy-Autorinnen«, herausgegeben von René Oth (1985, SL 530).

Das Leben der Erdbewohner

Literarische Science-fiction-Erzählungen
Herausgegeben von Karl Michael Armer
Sammlung Luchterhand Band 634

Die Zukunft – kein Thema für die schöne Literatur, Spezialge-
biet für Futurologen oder abgedrängt in die Ecke der oft als
trivial abgestempelten Science-fiction-Literatur? Dieses Buch
versammelt – zum Gegenbeweis – Geschichten von Autoren, die
zur Weltliteratur gehören.
Die Autoren: J. G. Ballard, Anthony Burgess, Stefan Heym,
Patricia Highsmith, André Maurois, Ian McE-
wan, Susan Sonntag, John Updike, Kurt Vonne-
gut, Anna Seghers.

Fredric Brown
Das verlorene Paradox

Phantastische Geschichten
Herausgegeben von René Oth
Sammlung Luchterhand Band 610

»Es gibt eine hübsche kleine Horror-Story, die nur zwei Zeilen lang ist:

Der letzte Mann der Welt saß allein in einem Zimmer.
Da klopft es an die Tür . . .

Zwei Sätze und ein Auslassungszeichen von drei Punkten. Der Horror liegt freilich nicht in der Geschichte; er liegt in der Vorstellung: ›Was‹ hat an die Tür geklopft. Wenn er sich mit dem Unbekannten konfrontiert sieht, stellt sich der menschliche Verstand etwas vage Schreckliches vor. Aber es war nicht schrecklich.« Mit dieser Geschichte beginnt die Geschichte. (Klopf, Klopf!)
In diesen Parabeln des Wahnsinns erweist sich Brown als Meister logischer Hochakrobatik, als brillanter Spötter und zynischer Moralist.

Das Lächeln der Gioconda

Satirische Science-fiction-Geschichten
Herausgegeben und eingeleitet von René Oth
Sammlung Luchterhand Band 556

Bei allem Witz liegt die Welt der Zukunft oft gar nicht so weit im
Unmöglichen, wie ihr Szenario zunächst vorspiegelt: Jerry und
Sam, weiße Überlebende des Atomkriegs, befinden sich auf der
Flucht vor den Indianern Nordamerikas, die sich an die widri-
gen Lebensumstände besser anpassen können. Die Weißen
werden immer weiter nach Osten zurückgedrängt. Schließlich
wissen sie keinen Ausweg mehr, als zum sagenhaften Europa
aufzubrechen: »Genau nach Osten. Zu den legendären Gesta-
den. Wo es auch für einen weißen Mann noch Freiheit gibt. Wo
er keine Verfolgung, keine Sklaverei mehr zu befürchten
braucht. Segeln Sie nach Osten, Admiral – bis wir ein freies Land
finden!«
(William Tenn, Das freie Land)

Als alles anders wurde

Phantastische Geschichten über die Zukunft der Frau
von Fantasy-Autorinnen
Herausgegeben von René Oth
Sammlung Luchterhand Band 530

Dieser Band enthält Geschichten über die Rolle der Frau in der
(fiktiven) Zukunft.

Philip José Farmer
Der Dienstagsmensch

Phantastische Geschichten
Herausgegeben von René Oth
Sammlung Luchterhand Band 516

Dieser Band enthält einige der besten Geschichten von Farmer.
Sie alle tragen seine unverwechselbaren Markenzeichen: sie sind
verblüffend, spannend, satirisch.

Die Zeitpolizei

Science-fiction-Kriminalgeschichten
Herausgegeben und eingeleitet von René Oth
Sammlung Luchterhand Band 546

Gedachte Welten

Klassische Science-fiction-Geschichten
Herausgegeben von René Oth
Sammlung Luchterhand Band 420

PR 6073 .A863 K7 1987
Watson, Ian, 1943-
Kreuzflug